Beck'sche Schwarze Reihe
Band 253

MUSIKER IM PORTRÄT

GABRIELE SALMEN

Musiker im Porträt

Band 4

Das 19. Jahrhundert

VERLAG C. H. BECK MÜNCHEN

Mit 83 Abbildungen

CIP-Kurztitelaufnahme der Deutschen Bibliothek

Salmen, Gabriele:
Musiker im Porträt / Gabriele Salmen. – München:
Beck
    Bd. 3 verf. von Gabriele u. Walter Salmen. –
    Bis Bd. 2 u. d. T.: Salmen, Walter: Musiker
    im Porträt
NE: Salmen, Gabriele
Bd. 4. Das 19. Jahrhundert. – 1983.
    (Beck'sche Schwarze Reihe; Bd. 253)
    ISBN 3 406 08453 2
NE: GT

ISBN 3 406 08453 2

Einbandentwurf von Rudolf Huber-Wilkoff, München
Umschlagbild: ‚Matinée mit Franz Liszt' (Ausschnitt),
Lithographie von Joseph Kriehuber (Deutsche Fotothek, Dresden)
© C. H. Beck'sche Verlagsbuchhandlung (Oscar Beck), München 1983
Gesamtherstellung: C. H. Beck'sche Buchdruckerei, Nördlingen
Reproduktion der Abbildungen: Brend'amour, Simhart & Co.,
Graphische Kunstanstalt, München
Printed in Germany

Inhalt

Einleitung

„Ich lebe nur in meinen Noten", so formulierte Ludwig van Beethoven 1801 sein Selbstverständnis, das sich zu diesem Zeitpunkt noch von dem der Mehrzahl seiner komponierenden Zeitgenossen unterschied. Emanzipiert von allen Salon-Konvenienzen, hatte er es vermocht, den folgenden Künstlergenerationen voranzugehen und zum neuen ‚Souverän' der Bourgeoisie zu werden, zu einem *uomo singolare*. Ausschließlich seiner Kunst verpflichtet, führte er die Existenz eines ‚freien Künstlers', der sich das Komponieren als eine zweckfreie Geistestätigkeit zum Beruf erwählt hatte. In Frankreich um 1828 als *„génie métaphysique et mystérieux"* verehrt, von Georges Bizet gar zum „Gott" erhoben, galt er fortan als verpflichtendes Vorbild, das den ‚Geniekult' fördern half. Von 1835 an wurden den erklärten Heroen, die durch die ‚Macht der Musik' aus den Fesseln der Wirklichkeit gerissen schienen, Denkmale gesetzt, die als Mahnmale „auf plätzen und straßen erglänzten. Einem dauernden freudenfeuer gleich sollten sie leuchten" (Jacob Grimm) und zu stolzen Sinnbildern nationaler wie individueller Schöpferkraft werden. Grab- und Denkmalsplastik, die im voraufgegangenen 18. Jahrhundert bis zur Französischen Revolution privilegierte Staatskunst war und auf öffentlichen Plätzen Heiligen, Monarchen und Fürsten vorbehalten blieben, wurden im Verlaufe des 19. Jahrhunderts demonstrativ auch als Mittel der ästhetischen Erziehung eingesetzt und vollends demokratisiert. In Städten wie auch Dörfern nahm der ehrgeizige Denkmalsbau merklich zu (vergleiche A. Schmoll genannt Eisenwerth, ‚Zur Geschichte des Beethoven-Denkmals', in: Festschrift J. Müller-Blattau, Kassel 1966, S. 242ff.). 1842 wurden gar die „Bildnisse der rühmlich ausgezeichneten Teutschen" (Ludwig I. von Bayern, 1807) in einem Tempel bei Donaustauf, unweit von Regensburg, aufgestellt, an denen zahlreiche Bildhauer seit 1807 gemeißelt hatten. Noch heute ragt dieses von Leo von Klenze erbaute ‚Walhalla', wie es der bayerische König nach dem einstigen Sitz der germanischen Götter und Helden nannte, zur „Erstarkung und Vermehrung deutschen Sinnes" (Ludwig I. am 18. Oktober 1842) Achtung gebietend in die Flußlandschaft. Es beherbergt neben Dichtern, Gelehrten und Herrschern auch einige Musikerbüsten, etwa diejenige Christoph Willibald Glucks (1812), Wolfgang Amadeus Mozarts (1846), Joseph Haydns (1810), Georg Friedrich

Händels (1816) und Ludwig van Beethovens (1866), die im 19. Jahrhundert vor allen anderen verehrt wurden. Später kamen Richard Wagner (1913), Johann Sebastian Bach (1916) oder Franz Schubert (1928) hinzu. Als intendierter Kultraum gehört dieses klassizistische Bauwerk ebenso zu den Zeichen des in antikem Eingedenken eklektizistisch sich repräsentierenden 19. Jahrhunderts wie die prunkvoll ausgestatteten Musikvereinsgebäude, Konservatorien, Opern- und Konzerthäuser, in denen das Bürgertum begann, einen Kult mit der Kunst zu treiben, deren Schöpfer es sich als elitäre ‚Tonkünstler' in parnaßähnlichen Deckenfresken, Büsten, Gemälden und Denkmalen in und außerhalb dieser Stätten gegenwärtig hielt (zum Beispiel im Odeon, München; auf der prunkvollen Ringstraße, Wien; in der Saint James Hall, London; in der Tonhalle, Zürich; im Smetana-Saal, Prag; im Gewandhaus, Leipzig; im Konservatorium wie in der Grand Opéra, Paris, und andernorts).

Die in diesem Band vorgelegte Auslese von Vertretern der Musik dieses an produktiven Leistungen reichen Jahrhunderts muß infolge des Zugriffs des Bürgertums auf die Kunst anders aussehen als die für das 18. Jahrhundert vorgenommene, deren einleitende Zeilen prospektiv mit der Feststellung schlossen, daß sich das Berufs- und Standesporträt wie die schmucklose, physiognomisch fesselnde Wiedergabe des Kopfes eines berühmten Menschen quantitativ noch die Waage hielten. Von wenigen Ausnahmen abgesehen, trat das repräsentative Standesporträt vor der disparat erscheinenden Vielfalt der Darstellungstypen in diesem Säkulum zurück. Einige Musiker wurden zu Regisseuren ihrer Person, andere, deren ,,sich selbst überlassenes Schaffen" (Franz Schubert) in der Mitwelt kein reales Gegenüber mehr finden konnte, waren sowohl für die den *,,maître de plaisir"* suchende Öffentlichkeit als auch für Maler und Bildhauer uninteressant und hinterließen, in Armut und Vergessenheit darbend, nur wenige Zeugnisse ihres Daseins. Eine weitere Gruppe maß der Selbstdarstellung wenig Interesse bei und äußerte sich bisweilen sarkastisch zu der ,,Porträtmanie", etwa Hector Berlioz, der in seinen *,Mémoires'* dem Unbehagen in beißendem Spott Ausdruck verlieh, zum Beispiel in der Beschreibung des Speisesaals der Villa Medici in Rom, einem zentralen Saal der Villa, in dem alle Rom-Preisträger traditionsgemäß mit einem Porträt verewigt wurden: ,,An der einen Wand hängen die eingerahmten Bildnisse der früheren Pensionäre, etwa fünfzig an der Zahl; auf der anderen, die man nicht ohne zu lachen ansehen kann, zeigen sich in schreckenserregenden naturgroßen Fresken eine Reihe von Karikaturen, deren groteske Ungeheuerlichkeit sich nicht beschreiben läßt und deren Originale alle die Akademie bewohnt haben ..." (,Memoiren', Leipzig 1967, S. 134f.)

Die reisenden Virtuosen der Instrumente und der Stimme, Tänzer, Dirigenten, sowie die Wunderkinder wurden hingegen durch das kommerziell genutzte Konzertleben gezwungen, sich werbewirksam darzustellen. Als zumeist wohlhabend gewordene Künstler, die über ein garantiertes Fixum für Aufführungsantiemen, nicht selten auch über eine jährlich ausgesetzte Pension verfügen konnten, waren sie mithin in der Lage, gleichgültig welcher familiären Herkunft, Bildhauer und Porträtisten zu beauftragen und zu bezahlen. Vermittels dieser Porträts ging ihnen bisweilen eine Fama des Gespenstischen voraus, wie zum Beispiel Niccolò Paganini, dessen Konterfei in Paris Unbehagen, aber auch neugieriges Interesse auslöste (Heinrich Heine, in: ,Florentinische Nächte', 1836). Die wachsende Betriebsamkeit, die rasch wechselnde Moden und Extravaganzen der Stars nach sich zog, wurde stärker als in den voraufgegangenen Jahrhunderten durch Satiren, dichterische Glossen, vor allem aber durch Karikaturen gegeißelt, in denen die ins Grenzenlose gehende Überschätzung des Virtuosen durch das Publikum zum unerschöpflichen Thema gemacht wurde. Allen voran inspirierte Richard Wagner die Karikaturisten, die ihn wie keinen Komponisten vor oder nach ihm in zahllosen Spottbildern in allen namhaften Tageszeitungen und Magazinen verzerrt darstellten. Seine materielle Unabhängigkeit, die ihm der bayerische König Ludwig II. gewährte, durch die Wagner nicht nur die Idee der Bayreuther Festspiele im eigenen Festspielhaus und eines die Menschheit meinenden Bühnenweihfestspiels verwirklichen konnte, sondern dem er auch seinen persönlichen Luxus verdankte, reizte die Spötter ungeachtet der hohen Summen, die auch anderen favorisierten Komponisten gezahlt wurden, zu gnadenloser Kritik. Wagner hatte es als einer der ersten vermocht, sich eine Künstlervilla bauen zu lassen, in der ,,sein Wähnen Friede fand", Haus ,Wahnfried' (seit 1976 Richard-Wagner-Museum), das ihm nicht nur Arbeitsstätte, sondern auch ein Ort perfekter Selbstbespiegelung war. Durch pompejanisch-rot getönte Wände der Eingangshalle gelangt der Gast, vorbei an ringsum aufgestellten Marmor-Statuetten, in einen Saal, der mit großer Orgel und umfangreicher Bibliothek Zentrum der inszenierten Geburtstags- und Weihnachtsfeste und Organisationszentrale der Festspiele war. In diesem für spätere Künstlervillen mustergebenden Bauwerk umgab sich der Meister ausschließlich mit Fresken, Statuetten und Büsten, die wenn nicht ihn selbst, dann Szenen und Personen seiner Werke wiedergaben, etwa in der Eingangshalle, in der er Kopien eines Nibelungenzyklus anbringen ließ, oder an der markanten Fassade, die nach Cosima Wagners Idee eine Sgraffito-Zeichnung trägt, auf der das „Kunstwerk der Zukunft" dargestellt wird, und zwar personalisiert in Porträts des markanten Wagner-Sängers Ludwig Schnorr, der Schroeder-Devrient sowie von Cosima. Gemeinsam mit seinem Freund, unermüdlichen Propagandisten und Schwiegervater Franz Liszt verfolgte Wagner das Ziel einer uneingeschränkten Macht in seinem Reiche der Musik, zu der er sich berufen sah. Er scheute keinen Aufwand, sich Malern, Bildhauern und Photographen zu stellen, deren Schöpfungen er kritisch prüfte, um sie selektiv an die Öffentlichkeit gelangen zu lassen. In der ikonographischen Hinterlassenschaft Wagners, die quantitativ nur von der Ignaz Paderewskis überflügelt wurde, der als „der reichste Mann der Welt" galt, spiegelt sich eine Tendenz des 19. Jahrhunderts, das bereits durch das Hinzukommen der Photographie den Verfall der Porträtkunst in sich trägt, da selbst Wagner es nicht vermochte, sich der allgemein gegenwärtigen Photolinsenoptik zu widersetzen.

Noch zu Beginn des Jahrhunderts hatte die Porträtkunst zu jenen begehrten Kunsthandwerken gehört, die auf der soliden Basis von Angebot und Nachfrage standen, auch wenn bedeutende Maler sich nur ungern zu diesem Broterwerb bekannten. Jean Dominique Ingres etwa wollte sich als Historienmaler gesehen wissen, nicht als Porträtist, der er in Rom indessen des sicheren Ertrages wegen war. In Pariser Salons, die zu den begehrten Ausstellungsörtlichkeiten gehörten, konnten in der Zeit von 1792 bis 1812 nahezu 7000 Porträts registriert werden, in Berliner Katalogen zwischen 1820 und 1850 werden allein 3500 Ölbildnisse von 470 Malern genannt. Das Vorrecht des Adels und dessen Gewohnheit, porträtiert zu werden, wurde vom vermögenden, besitzstrebenden und bildungsbeflissenen Bürgertum übernommen. In der Folge entstand ein Persönlichkeits- und Freundschaftskult, zu dessen Gepflogenheiten nun auch das Überreichen von Bildnissen gehörte.

Musiker waren davon mitbetroffen. Interieurs oder Landschaften bilden zumeist den Hintergrund ihrer Porträts, die als kunstgeschichtliche Novität gegenüber Bildnissen früherer Jahrhunderte beredte Milieuschilderungen aufweisen und Einblick in die private Sphäre des Dargestellten gewähren. Häusliche Musikszenen, Gesellschaftsabende, Soireen, aber auch Impressionen aus dem Konzertsaal bestimmen das Environ, in das der Musiker nunmehr mehrheitlich gestellt wurde.

Erst um 1848 trat das auf das Milieu verzichtende, interpretierende Bildnis in den Vordergrund, das von Malern wie Gustave Courbet, Honoré Daumier oder Eugène Delacroix in Paris introduziert wurde. Auf ihren öffentlich heftig diskutierten Porträts, die sie nicht mehr auf Bestellung anfertigten, machten sie das Leiden des Künstlers an der Welt und am eigenen Ich offenbar. Ihre Musikerbilder von Frédéric Chopin, Hector Berlioz und Niccolò Paganini gehören zu den aussagekräftigsten, expressiv überzogenen Bildnissen dieser Zeit. Diesen aller Insignien entledigten psychologischen Fallstudien stehen andere gegenüber, die, dem Akademismus folgend, mittels traditioneller Symbolbeigaben dem Genius einen abgesonderten Rang geben wollten. Namentlich auf Repräsentativgemälden wurden hochgeehrte Komponisten der ‚nationalen Schulen‘ eingedenk ihrer nationalen Aufgabe in Kleidung und Hintergrundwahl beziehungsreich dargestellt und in die Porträtgalerien der Länder aufgenommen, etwa Ferenc Erkel, der, wie sein Landsmann Franz Liszt, in ungarischer Nationaltracht gekleidet, in die Porträtgalerie des Nationalmuseums in Budapest einging, während sich Adrien Boieldieu betont modisch, nachrevolutionär, in Ganzfigur malen ließ oder Gioacchino Rossini wie Gasparo Spontini in der Tracht der französischen Akademie festgehalten wurden.

Die Popularität dieser bekannten Persönlichkeiten wurde noch gesteigert durch den Vertrieb von Plaketten, Jetons, Gedenk-, Kurrentmünzen und Medaillen, die anläßlich von Jahrhundertfeiern, Denkmalsenthüllungen, Jubiläen, Geburtstagen, Musikfesten oder sonstigen denkwürdigen Anlässen geprägt und in großer Zahl käuflich erworben werden konnten. Wurden in Gerbers ‚Historisch-biographischem Lexikon der Tonkünstler‘ (Leipzig 1792) lediglich zwölf damals bekanntgewordene Musikermedaillen angegeben, so erhöhte sich diese Zahl derart, daß 1867 C. Schulze über ‚Medaillen auf Tonkünstler‘ als Beilage der Berliner Musikzeitung ‚Echo' ein größeres Verzeichnis publizieren konnte, worauf die Publikation von Paul Niggl, ‚Musiker-Medaillen' (Hofheim 1965), fußt. Diese Medaillen, in denen sich die Tendenz der Antikenrezeption mit der erneuten Übernahme antiker Symbole stärker spiegelt als in der Bildnismalerei, tragen nicht selten auf der Rückseite Orpheus mit erhobener Leier oder auch bis heute schwer entschlüsselbare Embleme. So bietet die Deutung etwa der 1841 anläßlich der Aufführung der ‚Antigone' von Sophokles mit der Musik von Felix Mendelssohn Bartholdy in Berlin gegossenen Medaille immer noch Probleme, einer Medaille, die auf der Vorderseite in griechisch-kyrillischer Schrift einen Vers trägt, auf der Rückseite dagegen die Köpfe Mendelssohns und Ludwig Tiecks zeigt, des Anregers dieser Sophokles-Wiederaufführung. Im Mittelfeld ist eine weibliche Gestalt erkennbar, die zum Opferaltar schreitet.

Den Zweck der Popularisierung verfolgten ebenso die meist großformatigen Publikationen, die etwa als ‚Galerie denkwürdiger Persönlichkeiten der Gegenwart' (Leipzig 1853) in den europäischen Metropolen herauskamen und mit den *Viri illustri* des Säkulums vertraut machen sollten. Seit der Erfindung der Lithographie um 1798 durch Alois Senefelder, eines Stein-Flachdruck-Verfahrens, waren überdies mühelose Vervielfältigungen von Vorlagen möglich geworden, die in den zahlreichen Massenpublikationsorganen, etwa der Leipziger ‚Allgemeinen Musikalischen Zeitung' genutzt werden konnten. Zunächst das Privileg einiger weniger Spezialisten, hatte sich das Verfahren dieser Druckart rasch allgemein durchgesetzt und diente den Verlagen als zusätzliche Publikationsmöglichkeit. Die Verbreitung von Musikerporträts gehörte seither zum Programm nahezu aller Zeitschriften. Freilich hatte diese Technik die Verflachung und Verdrängung der Porträtmalerei zur Folge. Nachdem 1839 Jacques Mandé Daguerre eine Photokamera entwickelt hatte, ging in der Zeit der allgemeinen Verfügbarkeit dieses Geräts noch ein weiterer Teil aus den Porträt-Bestellerkreisen zur Photographie über. Das menschliche Antlitz wurde damit nicht nur zum rasch reproduzierbaren Objekt, sondern erschwerte es dem sich seiner Exzeptionalität bewußten Künstler von Jahrzehnt zu Jahrzehnt immer mehr, sich dem raschen Zugriff durch sensationsfreudige Kamera-Journalisten zu entziehen.

Am Ende dieses Jahrhunderts war das künstlerische Bildnis nur mehr das Privileg einiger weniger. Mit der Intention, außerhalb der traditionellen Merkmale eines nach der Natur gezeichneten Konterfeis das Psychogramm des Porträtierten zu liefern, wurde ab 1880 bereits der Boden für das 20. Jahrhundert bereitet.

Gesuchte Porträtisten hielten sich im 19. Jahrhundert zumeist in den Großstädten auf, so daß die Bildnisqualitäten ungleich verteilt sind. Das Spektrum hochentwickelter Kunstfertigkeit scheint sich auf Städte wie London, Berlin, München, Wien, Budapest, Paris, Mailand, Sankt Petersburg und Moskau zu beschränken, in denen freilich rivalisierend auch das Musikleben kulminierte. Die Mehrzahl europäischer Städte konnte sich lediglich an deren Vorbildern orientieren und allmählich durch Vereinsinitiativen wie privaten oder schulischen Einsatz die Voraussetzungen für ein reges kulturelles Leben schaffen.

Wie in den vorausgegangenen Bänden der Reihe ‚Musiker im Porträt‘ wurde auch im vorliegenden versucht, möglichst alle Bereiche des produktiven Musiklebens in Repräsentanten aller europäischen Staaten vorzustellen, was für Staaten wie Portugal, Griechenland, Norwegen oder Irland nicht gelang, weil deren musikgeschichtliche Entwicklung erst später in Einzelpersönlichkeiten manifest wurde. Dagegen galt es, Kritiker, Musikwissenschaftler, die an der Entwicklung nationaler Identität entscheidenden Anteil hatten, Komponisten, Interpreten, Volkssänger, Tänzer, Dirigenten und Instrumentenbauer vorzustellen, die gleicherweise am Geschäft mit der Kunst partizipierten und um die Gunst des Publikums buhlten. Erstmals wurden langjährige Tourneen europäischer Musiker und Tänzer in die Neue Welt, die USA, unternommen, unter Verwendung von Werbeplakaten und der Übermittlung von Erfolgsmeldungen. Der auf der Weltkugel stehende Virtuose, der die Länder der Erde mit seiner Kunst verzaubert, wurde zu einem Bildtopos (etwa Joseph Joachim nach einer Zeichnung von John Callcott Horsley, siehe H. W. Schwab, ‚Konzert‘, Leipzig 1971, S. 4). Auch umherreisende Wandermusikanten, die als Natursänger am Reiseleben ebenso teilhatten wie die Stars der *Grand Opéra,* wurden als Abgesandte einer vermeintlich unverbrauchten Welt in zahlreichen Lithographien porträtiert.

Gesammelt wurden Bildnisse an verschiedenen Orten. Hatte das systematische Sammeln schon im 16. Jahrhundert begonnen, legten begüterte Musiker im 18. Jahrhundert umfangreiche Kollektionen an, so wurde diese Vorliebe im 19. Jahrhundert vor allem durch die Musikvereine gepflegt. Vom Zeitpunkt der Gründung der *Caecilian Society* (1785–1861) in England an wurden in nahezu allen europäischen Ländern Musikvereine gegründet, deren ideelle Ziele die Ausbildung von Musikern zu umfassend gebildeten Menschen war, aber auch das Einrichten von Bibliotheken, das Bauen von Konzertsälen, das Setzen und Ausschreiben von Wettbewerben für Denkmäler sowie die Instandsetzung von Musiker-Gedenkstätten. Das hatte zur Folge, daß sich das musikalische Interesse in den Städten in deren Vereinslokalen konzentrierte, die zum Teil Bildergalerien und Sammlungen besaßen, worin unter anderem die umfangreiche Graphik-Produktion der diversen Verlage einging. Joseph von Sonnleithner (1765–1835), Mitbegründer der Wiener ,Gesellschaft der Musikfreunde' und des Konservatoriums, ist eine jener Persönlichkeiten, die nicht nur eine umfangreiche Bibliothek und Instrumentensammlung aufbaute, sondern auch eine ,Tonkünstler-Galerie' in Auftrag gab. In den Wiener Bestand sind vornehmlich Porträts des Wiener Malers Willibrord Mähler eingegangen. Schon 1815 wurde diese Galerie in der Leipziger ,Allgemeinen Musikalischen Zeitung' gewürdigt und der Maler hervorgehoben: ,,Dieser geschickte junge Mann studirte drey Jahre in Dresden bey dem berühmten Graff, und bildete sich dann auf der hiesigen Akademie noch weiter aus. Unter seinen Gemälden erhielt besonders ein grosses Oelgemälde des Kaisers welches im Kanzleysaale des Hofkriegsrathsgebäudes aufgestellt ist, den Beyfall unserer ersten Meister . . . Als Liebhaber der verwandten Kunst verfertigte er in seinen Mussestunden eine Reihe von Bildnissen der einheimischen Tonsetzer, welche sich sämmtlich durch einen kräftigen Pinsel, sprechende Aehnlichkeit und unverkennbaren Seelenausdruck rühmlich bezeichnen." Ebenfalls in Wien lebend, legte der Musikforscher und Autographensammler Aloys Fuchs (1799–1853) eine Bildnis-Sammlung von ,,Tonkünstlern überhaupt" an, die aus 2100 Blättern bestand und derzeit in der Deutschen Staatsbibliothek zu Berlin aufbewahrt wird. Sie galt als die umfangreichste in Europa.

Dem menschlichen Antlitz wurde im Zeitalter der Psychoanalyse großes Gewicht beigemessen, das in der Phrenologie als Wissenschaft vom menschlichen Kopf mündete. In Fortsetzung der physiologischen Studien von Johann Kaspar Lavater wurden umfangreiche Totenmasken-Depots angelegt, die etwa seit 1930 im Dresdener Institut für Phrenologie ausgewertet wurden und einige Musiker-Kopf-Analysen enthalten, in denen über die Grenzen zwischen Genie und Wahn befunden wurde. Totenmasken gehörten neben Abbildungen der gestorbenen Größen auf der Totenbahre oder dem Totenbett zur Vollendung des seit dem Symbolismus herrschenden mystischen Bildes, das man sich vom künstlerisch schaffenden Menschen machte. Ihr aus der Totenmaske für die Nachwelt erstehendes Antlitz lebt auf Denkmalen und in der Grabplastik weiter, so daß Franz Grillparzer in seinem Gedicht ‚Beethoven‘ (26. März 1827) ausrufen konnte:

„Dunkel nun. Ha, Todesnacht,
Übst du zweimal deine Macht?
Aber nein, es führt nach oben,
Aus des Dunkels Schoß gehoben,
Strahlt der Tag in neuer Pracht ..."

Musiker im Porträt

Carl Friedrich Zelter

Eine Persönlichkeit, die in einer Phase schwieriger gesellschaftli-
cher Veränderungen in Deutschland zum Begründer der preußischen staatlichen Musikpflege und der Musikerziehung wurde,
war Carl Friedrich Zelter. In sieben gewichtigen Denkschriften
(1803–1812) legte er den Plan einer Neuordnung vor, für deren
Verwirklichung er durch die Begründung einer Ausbildungsstätte
für Orchestermusiker, der ‚Ripienschule‘ (1807), der von Patriotis-
mus, Freimaurerei und Zunftgeist getragenen ‚Berliner Liedertafel‘ (1809) und des Königlichen Instituts für Kirchenmusik (1822)
beispielgebend voranging. Er war am 11. Dezember 1758 in Berlin
geboren worden und starb dort am 15. Mai 1832. 1783 hatte er die
Maurerlehre abgeschlossen und sollte das väterliche Baugeschäft
übernehmen, doch war seine Ausbildung auf verschiedenen In-
strumenten bereits so fortgeschritten, daß er als Geiger, Dirigent
und Komponist an die Öffentlichkeit treten konnte. Seit 1791 war
er an der Singakademie seines Lehrers und Freundes Carl Friedrich
Fasch tätig, die er 1800 als Leiter übernahm und zum tonangebenden Institut für die Pflege älterer Kirchenmusik machte. Zelter
besaß überdies Fähigkeiten, die ihn zum bevorzugten Komponisten der Lyrik Goethes und zum Altersfreund des Dichters werden
ließen. Nachdem die Zusammenarbeit des Dichters mit Johann
Friedrich Reichardt an dessen Eigenwilligkeiten gescheitert war,
wurde er auf Zelter aufmerksam und schätzte fortan dessen
schlichte Vertonungen, die er den späteren ihm bekanntgeworde-
nen – etwa denjenigen Franz Schuberts – vorzog. Auf Fürsprache
Goethes wurde Zelter zum Ehrenmitglied, Assessor und Professor
an die Berliner Akademie der Schönen Künste berufen. In dieser
Funktion zog er eine große Zahl später bedeutender Schüler an. –
Aus dem umfangreichen Bestand an Bildnissen, über deren Anfer-
tigung Zelter kritisch wachte, sei eine Lithographie nach dem Gemälde des damals jungen Carl Begas von 1827 gewählt, das der
Komponist seinem Freund Goethe zum achtundsiebzigsten Geburtstag überreichte. Ein reger Briefwechsel ging der Fertigstellung des Bildes voraus, in dem Zelter über die Stationen der Vollendung berichtete und sich den neuen Strömungen einer ‚romantischen Porträtmalerei‘ anerkennend öffnete (Marbach a. N., Schiller-Nationalmuseum, Inv.Nr. B.59, 188, Bez.: ,,Remy lithogra-
phit“, 12,4 × 10,8 cm).

Luigi Cherubini

Luigi Carlo Zanobi Salvadore Maria Cherubini, im Todesjahr auf nebenstehendem Porträt von Jean Ingres, der inspirierenden Muse zugewandt, festgehalten, wurde am 8. oder 14. September 1760 in Florenz geboren. Sein Vater – selbst *„maestro al cymbalo"* im *Teatro de la Pergola* in Florenz – unterwies den Sohn, bevor dieser zu Giuseppe Sarti nach Venedig kam. Unentschlossen, ob er sich in England oder Frankreich niederlassen sollte, folgte er dem Rat Giovanni Battista Viottis und ging nach Paris. Durch sein überaus erfolgreiches Wirken gehörte er gemeinsam mit Jean François Lesueur, François Gossec und Étienne Nicolas Méhul zu den ersten Persönlichkeiten, die ab 1795 das neugegründete *Conservatoire de Musique* als Inspektoren betreuten. Der zunehmende Einfluß, den Napoleon in der Politik bis zur Krönung zum Kaiser 1804 bekam, hatte zur Folge, daß Cherubini weitere Anerkennungen versagt blieben. Auch die Pforten der Großen Oper in Paris blieben ihm verschlossen, so daß er seine Werke an kleineren Bühnen und außerhalb Frankreichs aufführen ließ. Seit 1821 Direktor des *Conservatoire,* leitete er die Geschicke dieser Institution nahezu bis zu seinem Tode am 15. März 1842 mit unerschütterlicher Autorität. 30 Opern, Solfeggien, Hymnen, Revolutionslieder und zahlreiche kirchenmusikalische Werke zeugen sowohl von zeitnahen Sujets als auch von klassizistischer Strenge in der unmittelbaren Nachfolge Christoph Willibald Glucks. Hector Berlioz gehörte als ‚Neuerer' im Konservatorium zu Cherubinis erbitterten Gegnern. Dessen Erfolgsopern – ‚Ludoiska' (1791), ‚Medea' (1797) und *‚Les deux journées'* (‚Die Wasserträger', 1800) – waren lange populär und wurden von Ludwig van Beethoven wie von Richard Wagner gleichermaßen gerühmt. – Ingres begann das hier wiedergegebene Bildnis bereits 1833 und überreichte es dem Freund 1842. Dieser reagierte befremdet, da ihm die beigegebene Anima-Gestalt mißfiel. Er wollte sich bildbeherrschend gesehen wissen, seinem gesellschaftlichen Rang angemessen. Wenige Wochen vor dem Tode nahm er jedoch seine kühle Reaktion dem Maler gegenüber zurück und verfaßte einen Huldigungskanon *a 3 voci* mit dem Textbeginn: *„Oh, Ingres amabile, Pittor chiarissimo ..."*, seine letzten musikalischen Gedanken (Paris, Musée du Louvre, Inv. Nr. 5423).

Adalbert Gyrowetz

„Als stiller Beobachter" schloß der „göttliche Philister" Adalbert Gyrowetz am 19. März 1850 in Wien seine Augen. Zuvor hatte er noch eine Autobiographie verfaßt und diese auf Drängen des Wiener Publizisten und Lyrikers Ludwig August Frankl im Druck herausgegeben, sich seiner Lage als „arm und vergessen" (1846) wohl bewußt. Dies sei nur zu natürlich, denn: „ich war nur ein Talent, das von Glück sagen muß, wenn es sich die Gegenwart erorbert – nur das Genie lebt über das Grab hinaus." Diese Einsicht des Weitgereisten und gebildeten Mannes, des Begleiters Johann Wolfgang von Goethes in Italien und Musikers in der ersten Generation nach Wolfgang Amadeus Mozart und Joseph Haydn, verdient Beachtung. Der am 19. (?) Februar 1763 zu Budweis (Böhmen) Geborene war nach ersten musikalischen Unterweisungen von seinem Vater zum Juristen bestimmt worden. Als Sekretär des musikliebenden Grafen Franz von Fünfkirchen war er nach Brünn und Wien gekommen, mit Joseph Haydn und vor allem Wolfgang Amadeus Mozart bekannt geworden und hatte nach ausgedehnten Studienaufenthalten in Italien, Frankreich und England Wien als Wohnsitz gewählt, wo er sich größter Beliebtheit erfreute. Neben Antonio Salieri war er Kompositeur und Kapellmeister des Hoftheaters, ein Amt, das ihm auch Opern- und Ballettkompositionen abverlangte, Gattungen, denen er sich vordem zugunsten einer großen Zahl liebenswürdiger kammermusikalischer Werke kaum zugewandt hatte. Von seinen Bühenwerken fanden die Opern ,Agnes Sorel' (1806), ,Der Augenarzt' (1811) und das Singspiel ,Robert, oder die Prüfung' (1813) besondere Beachtung. Dem zeitgenössischen Publikum gefiel die leicht zugängliche, unproblematische Faktur dieser Werke, die freilich aufgrund des sich wandelnden Geschmacks keine lange Lebensdauer hatten. – Der überaus gesuchte Wiener Lithograph Joseph Kriehuber, dessen gesamte Porträts einen drei Bände umfassenden Katalog füllen, fertigte 1828 das hier wiedergegebene Bildnis. Kriehubers erste Lithographierversuche reichen kaum vor das Jahr 1823 zurück, so daß vorliegendes Blatt den Beginn der großen Produktion des Künstlers markiert (Wien, Bildarchiv der Österreichischen Nationalbibliothek, 37 × 25 cm).

Joseph Xaver Elsner

Zu denjenigen Komponisten, die in ihrer Wahlheimat für die Eta-
blierung nationaler Musiken Entscheidendes geleistet haben, gehört Joseph Xaver Elsner (Józef Antoni Franticek, Józef Ksawery),
der am 1. Juni 1766 in Grottkau (Schlesien) als Kind deutschspra-
chiger Eltern geboren wurde und am 18. April 1854 in Warschau
starb. Nach dem Tode seines Vaters, der ihn zum Arztberuf bestimmt hatte, fand der musikbegabte Elsner zur Musik, bildete
sich autodidaktisch in Wien zum Komponisten sowie Geiger aus
und begann im Jahre 1791 im Opernorchester Brünn seine musikalische Laufbahn als Primgeiger. In diese Zeit fällt auch seine erste
Beschäftigung mit der polnischen Sprache und mit der Oper dieses
Landes, die eine wechselvolle Geschichte hinter sich hatte. Da es
bislang wie nahezu überall außerhalb Mittel- und Westeuropas an
landessprachigen Opernkomponisten wie Sängern mangelte, war
man stets auf Italiener, Böhmen oder Deutsche angewiesen gewesen. Mit der Gründung eines ersten öffentlichen Theaters in Warschau, das seit 1807 Nationaltheater hieß, wurde die Grundlage für
eine nationale Oper gelegt. Elsner, den man 1799 als Theaterkapellmeister berufen hatte, hat sie vor allem als Organisator wie als
Pädagoge geprägt. Seine Bemühung um die große, national moti-
vierte Oper ist ihm zweifellos trotz einer großen Zahl von Werken
mit Sujets aus der polnischen Geschichte, die zum Teil heute noch
gespielt werden, nicht vollends gelungen. Ihre Faktur ist von Melodien aus Volksliedern und polnischen Rhythmen bestimmt. Zu
seinen erfolgreichen Werken gehören etwa ‚Leszek der Weiße‘,
(‚*Leszek Biały*‘, 1809), ‚König Lokietek‘ (‚*Krol* Łokietek‘, 1818)
oder ‚Jagiello in Tenczyn‘ (‚*Jagitto w Tenczynie*‘, 1820). Elsners
Bedeutung liegt vielmehr in seinen Leistungen als Organisator und
Pädagoge, derentwegen er verehrt wird als ‚‚Schöpfer der nationalen Kunst‘‘, wie auf der Prägung einer goldenen Medaille zu lesen
steht. Die Gründung einer Schule für Gesang und Deklamation
nach Pariser Vorbild (später Konservatorium Warschau), deren
Direktor er war, ist an seinen Namen gebunden. Frédéric Chopin
war sein bedeutendster Schüler. – Das hier wiedergegebene anonyme Bildnis von 1854 ist neben oben genannter Medaille eines der
wenigen bekannten Abbildungen des Komponisten (Wien, Bildarchiv der Österreichischen Nationalbibliothek, Inv.Nr. 506 644).

Ludwig van Beethoven

„Wo ist eine Macht, die deiner gleicht, eine Gestalt, die deiner sich naht, wenn du auf Sturmesflügeln einherbraust, wenn du mit Zephyrslispeln säuselst; wenn du des Mutes glimmenden Funken an die zagende Seele schleuderst und den Funken zur That entflammst ...", so huldigte Franz Grillparzer in einem von zahlreichen Gedichten und Epigrammen dem am 16. Dezember 1770 in Bonn geborenen Ludwig van Beethoven. Aus einer flämischen Musikerfamilie stammend, nahm er seinen Weg ohne wesentliche Hilfe aus dem elterlichen Hause. Als Autodidakt und zeitweiliger Schüler von Christian Gottlieb Neefe war er angewiesen auf die Anregungen, die er durch den Verkehr mit hochgebildeten und adeligen Familien bekam, besonders durch die von Breunings und den ihm befreundeten Grafen Ferdinand von Waldstein. Letzterem verdankte er die Aufnahme in die Zirkel der Adelswelt, als er nach Wien kam, um „Mozarts Geist aus Haydns Händen zu empfangen" (Waldstein). Die Kaiserstadt blieb bis zu seinem Tode am 26. März 1827 seine ausschließliche Wirkungsstätte, ohne daß er sich dort fest band. Er lebte, nachdem er 1792 die Position als Hoforganist in Bonn aufgegeben hatte, als freier Künstler, getragen vom Wohlwollen einiger Aristokraten. In diesen Kreisen fand er eine kritische Abnehmerschaft für seine Werke, wurde aber auch als überaus schwierige Persönlichkeit akzeptiert und verehrt. Ab 1808 gewährten ihm seine Gönner eine Leibrente von 400 Gulden pro Jahr. Über Beethovens Leben sowie dessen Œuvre, das ihn in zentraler Stellung als Sinfoniker ausweist, liegt eine große Zahl von Spezialuntersuchungen vor, die es hier ersparen mögen, nochmals darauf einzugehen. An dieser Stelle gilt es vielmehr, anhand zweier Porträts das Problem der Beethoven-Ikonographie zu beleuchten.

Er selbst maß den optischen Künsten in seinem Leben keine überragende Stellung bei, wiewohl sich in seinem Briefverkehr bisweilen Bemerkungen finden lassen über das Konterfei als Freundschaftsgabe. Als Persönlichkeit, die viele Musiker, Dichter, Maler und Philosophen nachhaltig inspiriert hat, war er Gegenstand insbesondere von posthum angefertigten, ihn heroisierenden Porträts, Denkmälern und Büsten, die den Genius schlechthin heraufbeschwören sollten. Die Zahl der authentischen Bildnisse bleibt dahinter weit zurück. Die nebenstehende Bleistiftzeichnung von

August Karl Friedrich Klöber (Beethoven-Haus Bonn), 1818 als Studie zu einem lebensgroßen Doppelporträt mit Beethovens Neffen Karl gefertigt, dürfte neben den beiden Gemälden von Willibrord Mähler für die Sammlung des Mitbegründers der Gesellschaft der Musikfreunde, Joseph von Sonnleithner, und dem Bildnis des Wiener Porträtisten Ferdinand Waldmüller zu den wenigen nach dem Leben gezeichneten Abbildungen gehören. – Einen anderen, wenn auch für das ausgehende 19. Jahrhundert typischen Weg beschritt Max Klinger (1857–1920) mit dem 1902 erstmals in Berlin ausgestellten Denkmal. Hatte Franz Grillparzer in seiner Grabrede 1827 folgende Worte gefunden: ,,Einfach ist der Stein, wie er selbst war im Leben, nicht groß; um je größer, um so spöttischer wäre ja doch der Abstand gegen des Mannes Wort. Der Name Beethoven steht darauf und somit das herrlichste Wappenschild ...", so verfolgten alle Bildhauer, die seit der Mitte des 19. Jahrhunderts an der Gestaltung eines Beethoven-Denkmals arbeiteten, andere Ziele. Im Zuge des sich entfaltenden Beethoven-Kults bildeten Ernst Julius Hähnel (Beethoven-Denkmal, Bonn, Münsterplatz), Caspar Zumbusch (Wien, Beethoven-Platz), Robert Weigl (Wien, Heiligenstädter Park) und andere in ihren Werken eine Vorstellung vom heroischen Musiker heraus, die der Künstlerverehrung im pompösen Zeitalter entsprach. Max Klinger jedoch, der um die Jahrhundertwende ohne Auftrag ein Monument mit einer Gesamthöhe von 3,10 m schuf, setzte darin bereits den Visionismus Friedrich Nietzsches um, als er den prometheischen Beethoven auf einen erzenen Thron setzte. In Anlehnung an Auguste Rodins Heroisierungen der Dichter Victor Hugo und Honoré Balzac thront der Komponist als antikisiert entkleideter Genius auf einem gewaltigen Sockel, der ihn mit seinem edlen Material wie griechischem Inselmarmor, Tiroler Onyx, Elfenbein, Opalen, Achaten, antiken Glasfüßen und Erz halb umgibt. Das Werk war als Apotheose Beethovens intendiert, in der selbst die ,,zwei Seelen", die es in ihm gab, die lyrische wie die dramatische, symbolisch wiederkehren. Klingers monumentale Skulptur befindet sich im Gewandhaus Leipzig (Inv.Nr. 28). Der ,Kultraum', den Klinger um sein Werk herum geschaffen hatte, ist abgerissen worden. Anläßlich der Ausstellung des Monuments in der Wiener Sezession jedoch malte Gustav Klimt seinen bekannten Beethoven-Fries, um damit erneut einen Andachtsraum für den ,,in den Himmel des Olymp Entrückten" zu schaffen.

Anton Reicha

Heute den Praktikern vornehmlich aus seinen Werken für Blasin-
strumente geläufig, ist das Schaffen von Anton (Antonín, Antoine)
Reicha dennoch durch Vielseitigkeit und Umfang gekennzeichnet.
Nicht nur umfaßt es bemerkenswerte Kompositionen aller Gattungen, sondern auch etliche theoretische Schriften. Reicha wurde
am 26. Juni 1770 in Prag geboren und starb am 28. Mai 1836 in
Paris, wohin er 1808 übersiedelt war. Als Neffe und Schüler des
Violoncellisten und zuletzt Kapellmeisters Joseph Reicha in Bonn,
der sich seiner nach dem frühen Tode des Vaters angenommen und
ihn ausgebildet hatte, folgte er diesem nach Bonn. Während Joseph
die Stelle als Konzertmeister innehatte, wurde Anton als zweiter
Flötist in das kurfürstliche Orchester aufgenommen; als solcher
hatte er Umgang mit dem jungen Ludwig van Beethoven. Nach
Auflösung dieses Orchesters im Jahre 1794 ging Reicha zunächst
nach Hamburg, dann nach Wien, wo er seine kompositorischen
Fähigkeiten bei Joseph Haydn, Antonio Salieri und Georg Al-
brechtsberger erweiterte. Daß er von Wien nach Paris überwech-
selte, mag an den dort herrschenden liberaleren Lebensverhältnis-
sen und dem überaus regen Musikleben gelegen haben, die ihn
bereits um 1800 angezogen hatten. An der *École royale de Musique*
wurde ihm 1818 eine Professur eingerichtet. Hatten Reichas Opern
neben den Werken seiner Zeitgenossen auch keinen nachhaltigen
Erfolg, so fanden seine instrumentalen Werke, vor allem die virtuosen Bläserquintette, ein dauerhaftes Echo. 1829 nahm er die
französische Staatsbürgerschaft an, wurde 1831 Ritter der Ehrenlegion und genoß als Lehrer vieler bedeutender Musiker ein großes
Ansehen. Seine Schriften verraten einen scharfsinnigen Analytiker
und Theoretiker. Sie gipfeln in der vier Bände umfassenden ‚*L'art
du compositeur dramatique, ou Cours complet de composition vocale*' von
1833. Er gab darin der damals geltenden Überzeugung Ausdruck,
daß jegliches kompositorische Schaffen im dramatischen Musik-
theater münden sollte. – Zum Geniekult des Jahrhunderts gehörte
nicht nur die Abnahme einer Totenmaske, sondern auch die natur-
getreue Zeichnung des Verehrten auf der Totenbahre. Nach einer
Zeichnung von Jacobus van den Berg wurde die hier vorgestellte
Lithographie von den Brüdern Thierry angefertigt (Wien, Bildarchiv der Österreichischen Nationalbibliothek, Inv.Nr. 509712,
26 × 35 cm).

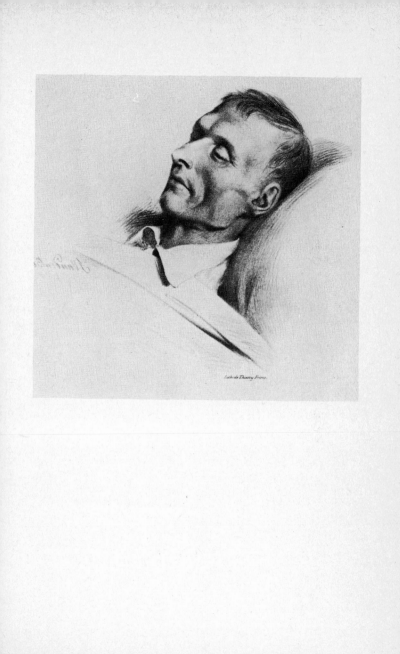

Hans Georg Nägeli

Der Schweizer Hans Georg Nägeli wirkte, dem Berliner Carl Friedrich Zelter vergleichbar, in einer Zeit erzieherischer Tendenzen, die nach der Französischen Revolution unter dem Stichwort ‚musikalische Volksbildung' Platz gegriffen hatten. Die Gründung von Museums- und Harmoniegesellschaften sowie Chorvereinigungen sollte nach Heinrich Pestalozzi ein Gegengewicht bilden zur Isolation des Menschen besonders in den Städten infolge der fortschreitenden Industrialisierung. Die Berührung mit Pestalozzi, zu dessen Freundeskreis Nägeli gehörte, hatte ihn nach der Ausbildung zum Pianisten so nachhaltig beeinflußt, daß er fortan in der von ihm gegründeten Musikalienhandlung im Dienst einer wegweisenden Musikerziehung tätig wurde. Gemeinsam mit Traugott Pfeiffer gab er 1810 die ‚Gesangsbildungslehre nach Pestalozzischen Grundsätzen' heraus, ein praktisch-methodisches Werk, das ihm zur Grundlage seines ‚Züricherischen Singinstitutes' wurde. Nägeli ist als Sohn eines Pfarrers am 26. Mai 1773 in Wetzikon (Zürich) geboren worden und am 26. Dezember 1836 in Zürich hochgeehrt gestorben; 1833 hatte ihm die Universität Bonn die Würde eines Ehrendoktors zuerkannt. Seine prägende Bedeutung für das schweizerische Gesellschafts- und Geistesleben im frühen 19. Jahrhundert liegt in dem Entwurf einer für den Musikunterricht in der Schule gedachten, umfassenden Methodik, die im calvinistisch-reformierten Teil der Schweiz zunächst auf Verständnislosigkeit stieß. Als Komponist widmete sich Nägeli hauptsächlich der seiner didaktischen Absicht entsprechenden Vokalmusik, insbesondere den Solo- und Chorliedern, von denen sich einzelne Gesänge bis heute gehalten haben, etwa das Kinderlied ‚Goldene Abendsonne', das Vaterlandslied ‚Wir fühlen uns zu jedem Tun entflammt', ‚Freut euch des Lebens' oder der Choral ‚Die heiligste der Nächte'. „Das Volk wieder singend zu machen" war das Ziel von Nägelis hartnäckigen Bemühungen bis zur Einführung seines Schulgesangbuchs (1833). – Außer einem Ölbildnis von Heinrich Guyer (Nägeli-Stübli, Pfarrhaus Wetzikon), einigen Stahlstichen und Lithographien befindet sich unter seinen Porträts das in einer Ansteckbrosche gefaßte Medaillon (Bleistiftzeichnung) von Nägelis Tochter Ottilie (Zentralbibliothek Zürich).

Gasparo Spontini

Der mit Auszeichnungen überhäufte Gasparo Luigi Pacifico Spontini begründete seinen Ruhm nahezu ausschließlich auf einem überaus publikumswirksamen Opernschaffen. Nach dem Direktorat am Pariser *Théâtre de l'Impératrice,* einer Fusion von *Opéra Italien* und *Comédie française,* übernahm der Komponist die Berliner Staatsoper als deren erster Generalmusikdirektor. Von 1820 an übte er dort eine unumschränkte Herrschaft aus; er konnte, von Friedrich Wilhelm III. berufen, seiner Neigung zu Prunk und äußerer Wirkung, wie sie Berlin bis dahin nicht erlebt hatte, freien Lauf lassen. Bedeutende Künstler wie Friedrich Schinkel und Sebastian de Pian schufen die Bühnenentwürfe sowohl für seine Pariser Erfolgsoper *‚La Vestale'* (‚Die Vestalin') als auch für ‚Agnes von Hohenstaufen', mit der Spontini 1829 den künstlerischen Zenit erreichte. Die Beurteilung durch die nachfolgende Generation war infolge tendenziöser zeitgenössischer Kritiken oft einseitig, in denen er vor allem wegen seines skandalösen Weggangs aus Berlin, 1842, unerbittlich angefochten wurde. Heute muß man ihn als einflußreichen Exponenten des französischen Klassizismus und Empire anerkennen, der das Pathos Christoph Willibald Glucks wiederzubeleben trachtete. Auch gehörte er zu jenen frühen Orchestererziehern, die in strengen Proben ein despotisches Regime führten. Am 14. November 1774 in Majolati (Kirchenstaat) geboren, fand er in den letzten Lebensjahren wieder in seinen Heimatort zurück, wo er – wie ein Heiliger verehrt – am 24. Januar 1851 starb. Spontinis einstiger Ruhm ist nahezu vollkommen verblaßt, wie derjenige seines Berliner Nachfolgers Giacomo Meyerbeer. Im Gegensatz jedoch zu diesem ließ sich Spontini stets hochdekoriert malen. Ein eindrucksvolles Bild des Berliner Porträtisten Franz Krüger, das ihn mit dem Titelblatt seiner Oper ‚Agnes von Hohenstaufen', aufs Klavier gelehnt, zeigt, hängt heute noch im Grunewald-Schloß in Berlin. Auf einer Lithographie aus seinen letzten Jahren erscheint der *,,Chevalier de l'Ordre Royal de la Légion d'honneur"* gekrönt von einem Spruchband mit dem Titel seiner Oper *‚La Vestale';* das Porträtmedaillon ist umgeben von Medaillons mit Titeln anderer Werke. Nach einer Vorlage von Antoine Paul Vincent wurde dieser Stahlstich von Bourgeois de la Richardière gestochen (Deutsches Musikgeschichtliches Archiv, Kassel).

LA VESTALE
GRAND PRIX DÉCENNAL

Václav Tomášek

Als bemerkenswerter, häufig jedoch von seinen Zeitgenossen bekrittelter Schöpfer neuer kantabler Charakterstücke für Klavier steht Václav Jan Tomášek (Wenzel Johann Tomaschek) nahezu allein. Seine Stücke sind durch die spätmythologische Ideenwelt inspiriert und wurden von ihm unter Berufung auf die Rhapsoden der Antike zu ,,idyllischen gemüthlichen" Eklogen, Dithyramben und Rhapsodien gestaltet. Tomášek wurde am 17. April 1774 in Skutec (Böhmen) geboren und starb in Prag am 3. April 1850. Er war der zweiten Emigrationswelle nicht gefolgt, die in seinem Land um die Mitte des 18. Jahrhunderts eingesetzt hatte, sondern wuchs als Sohn einer Bürger- und Handwerkerfamilie auf. Vom Regenschori in Chrudim wurde er musikalisch unterwiesen, besuchte die Universität und komponierte so erfolgreich, daß er auf jegliche Beamtentätigkeit verzichten konnte. Als Musiker ging er in den Dienst des Grafen Buquoy, seines Schülers, der ihm eine lebenslängliche Pension zusicherte. Auf zahlreichen Reisen lernte er die führenden Komponisten kennen. Auch mit Johann Wolfgang von Goethe, der die Vertonungen einiger Texte sehr schätzte, pflegte er Kontakte. Durch die Gründung einer eigenen Musikschule in Prag 1824 schuf Tomášek einen geistigen Mittelpunkt dieser Stadt für Kunstliebhaber aller Sparten, die sich um ihn versammelten. Sein 114 Titel umfassendes Werk, das bis auf drei Opern im Druck erschienen ist, enthält Sonaten, Sinfonien, zahlreiche Lieder, Kammermusik, vor allem aber jene melodisch-klangmalerischen Klavierstücke, zu denen er in seiner bis 1823 reichenden Selbstbiographie ausführlich Stellung nimmt. Wenngleich er der beginnenden Romantik verpflichtet und in diesen Charakterstücken auch ein Vorläufer John Fields wie Franz Schuberts war, blieb er trotz einiger Ansätze zur Herausbildung einer tschechischen Nationalmusik der anakreontischen Pastoralsphäre verbunden. – Nebenstehendes Ölbildnis steht dem Gelehrtenporträt nahe. Der Maler Anton Machek stellt den Musiker in betontem Antikenbezug vor einem im Hintergrund sichtbaren Kitharöden dar. Tomášek hält unterdes das Blatt einer begonnenen Messe in Händen und dokumentiert so seine Stellung zwischen Antike und Abendland (Národni Galerie v Praze, Inv. Nr. 0-795).

François-Adrien Boieldieu

Mit François-Adrien Boieldieu erlebte die *opéra comique* eine neuerliche Blüte. Ermüdet vom übertriebenen Revolutionspathos auf der Bühne, sehnte sich das Pariser Publikum wieder nach heiteren Sujets und nahm die Werke des am 16. Dezember 1775 in Rouen geborenen Komponisten begeistert auf. Durch den Salon des bekannten Klavierbauers Sébastien Erard war er in Künstlerkreisen eingeführt worden, als er mit einundzwanzig Jahren nach Paris kam. Bei der Entstehung des nebenstehenden Gemäldes von Louis-Léopold Boilly um 1800 (heute im Musée des Beaux Arts, Rouen) hatte der junge Mann bereits eine Anzahl von Erfolgsstücken, zumeist unkomplizierten Einaktern, herausgebracht, unter ihnen *‚Le Calife de Bagdad'* (1800). Das Bild präsentiert den jungen Franzosen in Ganzfigur, kühl, wie es der Etikette des *ancien régime* entsprach. In nachrevolutionärer Kleidung posiert er elegant vor seinem Klavier, auf dem er eine Partitur aufgeschlagen und eine Geige abgelegt hat. Die Büste Christoph Willibald Glucks, dem Betrachter abgewandt, steht auf dem schmucklosen Gesims. Diese Büste, von Antoine Houdon 1776 modelliert, wurde bald nach ihrem Entstehen vor allem auf Bildern mit Saloninterieurs wiedergegeben und erscheint hier nicht ohne Absicht. Boieldieu als Repräsentant einer neuen Komponistengeneration in Frankreich scheint auch im Bilde den erbitterten Streit der Gluckisten gegen die Piccinisten überwunden zu haben. Dieser Erfolg verließ ihn auch nicht, als er 1805 als Kapellmeister des Zaren Alexander I. nach Petersburg berufen wurde. Er blieb bis 1812 in Rußland, um sich nach seiner Rückkehr erneut der *opéra comique* zuzuwenden. 1825, lange nach seiner Bestallung als Nachfolger Étienne Méhuls am *Conservatoire* (1817), brachte er seine dreiaktige Oper *‚La dame blanche'* (‚Die weiße Dame') nach einem Text von Eugène Scribe heraus. Mit ihrer geheimnisvollen Handlung und einer vitalen Musik hat sich dieses Werk bis heute auf den Opernbühnen gehalten. Die anmutige Cavatine ‚Komm, o holde Dame' wurde vielfach bearbeitet und gehörte zum festen Bestand in den Salons, später in den Instrumentalschulen, die Popularmelodien repertoirisieren halfen. Erst die Pariser Julirevolution von 1830 brachte für ihn wie für viele seiner Zeitgenossen eine tragische Wende. Aller Einkünfte ledig, starb er am 8. Oktober 1834 in Jarcy (Seine et Oise).

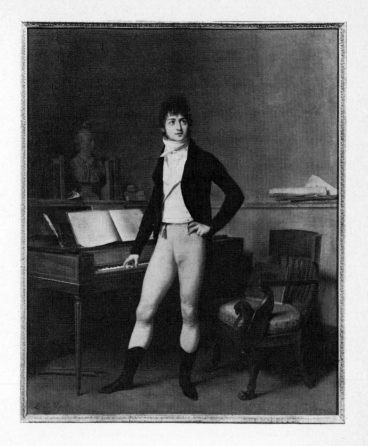

Ernst Theodor Wilhelm Hoffmann

Auf die Biographie des schon im Band ‚Deutsche Schriftsteller im Porträt' III, S. 105, als Universalgenie und Doppelgängerexistenz apostrophierten Ernst Theodor Wilhelm Hoffmann, der später zu Ehren Wolfgang Amadeus Mozarts seinen dritten Namen gegen Amadeus austauschte, möge hier nur in Stichworten eingegangen werden. Er wurde am 24. Januar 1776 in Königsberg geboren und starb am 25. Juni 1822 in Berlin. Sein Leben wurde geprägt von einer überaus starken Neigung zur ‚‚romantischsten aller Künste'' (wie er schrieb), der Musik, in der er durch Christian Wilhelm Podbielsky in Königsberg, später während seiner Referendarzeit als Jurist am Kammergericht in Berlin durch Johann Friedrich Reichardt ausgebildet wurde. Die durch mehrfache Ortswechsel bestimmten Jahre zwischen 1800 und 1814 verbrachte er als Karikaturist, Musiklehrer; als nur zögernd angenommener Musikdirektor am Nationaltheater in Bamberg, das er nach dessen wirtschaftlichem Ruin verlassen mußte; als Novellist und Autor phantastischer Artikel für die Leipziger ‚Allgemeine musikalische Zeitung'; schließlich als Komponist. Die von ihm geschaffene Figur des von ‚‚Grauen umwitterten'' Kapellmeisters Johannes Kreisler, ein Selbstporträt, das ihm seit seinem Roman ‚Kater Murr' zur Maske für skurrile Selbstreflexionen wurde, hat ihn bis in seine letzten Lebenstage beschäftigt. Als Hoffmann 1813 Bamberg verließ, hatte er bereits Opern, Schauspielmusiken, Singspiele, Melodramen und einige Kammermusik komponiert, die stilistisch mehr der Wiener Klassik und der zweiten Generation der Berliner Schule verpflichtet sind als der musikalischen Romantik. Erst mit der Uraufführung der Zauberoper ‚Undine', der ersten dieser Art (nach seiner ‚Aurora'), gelang ihm ein nachhaltiger Erfolg auf der Opernbühne. Nicht nur gilt er als Initiator der modernen literarisch-ästhetischen Musikkritik, er war auch für Komponisten bis hin zu Paul Hindemith ein gesuchter Ideenlieferant. Hoffmann gelangen wesentliche Beiträge zur Formulierung der romantischen Musikanschauung, so daß er mehr als Literat denn als produktiver Musiker in die Geschichte einging. – Von den tiefsinnig karikaturistischen Selbstporträts sei eine aquarellierte Federzeichnung von 1820 gezeigt, auf der er vermerkte: ‚‚Der Kapellmeister Johannes Kreisler in Haustracht nach dem Leben gezeichnet von Erasmus Spinher'' (Bamberg, Staatsbibliothek, Inv. Nr. I.R. 65).

Der Kapelmeister Johannes
Kreisler in Hauteroith
nach dem Leben gezeichnet von Erasmus Spikher.

Daniel François Esprit Auber

Daniel François Esprit Auber, der sich erst spät dem berufsmäßig betriebenen Komponieren zuwandte, war – wie nahezu alle bedeutenden französischen Musiker seiner Zeit – Schüler des 1795 gegründeten Pariser *Conservatoire,* nachdem er als Dreißigjähriger von Luigi Cherubini zum Studium angehalten worden war. Dieser hatte den Erfolg seiner ersten Werke für diverse Salons, in denen Auber verkehrte, beobachtet und dem in Caen am 29. Januar 1782 Geborenen fortan das Rüstzeug für eine umfangreiche Produktion von nahezu 45 Opern gegeben. Zusammen mit dem Librettisten Eugène Scribe erlebte Auber große Triumphe, zum Beispiel mit ,*Le Maçon*' (,Maurer und Schlosser') von 1825, ,*La Muette de Portici*' (,Die Stumme von Portici') von 1828 oder der komischen Oper ,*Fra Diavolo*' aus dem Jahre 1839, durch die seine internationale Popularität begründet wurde, die auch nationale Ehrungen nach sich zog. 1842 wurde er Direktor des *Conservatoire;* Napoleon III. ernannte ihn 1857 zum kaiserlichen Hofkapellmeister. Er starb in den Tagen des Kommuneaufstandes am 12./13. Mai 1871. Aubers zeitlich wie stofflich limitierter Erfolg gründet sich auf seine meisterliche Beherrschung des Sujets der *opéra comique* mit den altbewährten Handlungstypen und ihrer volkstümlich-schlagkräftigen Thematik. Als Vorbote der Juli-Revolution erschien 1828 jedoch seine große historische Oper ,Die Stumme von Portici', die unerwartet politische Bedeutung erhielt. Nach der Brüsseler Erstaufführung wurde ihr von Eugène Scribe im Stil der traditionellen *tragédie lyrique* verfaßter Text zum Mitauslöser der Revolution von 1830, in die sich die aufgebrachte Besuchermenge spontan stürzte. Mit dieser Oper, die Robert Schumann das Werk eines ,,musikalischen Glückskindes" nannte und die auch Richard Wagner nachhaltig beeindruckte, begründete Auber nach den Mustern seines Lehrers die Gattung der *Grand opéra;* sie basiert auf einer monumentalen Musiksprache, bei der Effekte durch alle verfügbaren Mittel erzielt werden sollten. Die durch diese Oper ausgelöste heftige Entrüstung der Zuschauer ist etliche Male ins Bild gesetzt worden, etwa auf einer Lithographie der *Bibliothèque Royale de Belgique.* – Auber, der als Ritter der Ehrenlegion oft porträtiert wurde, sei durch eine Lithographie nach einem Foto vorgestellt, die zu Werbezwecken diente (Lithographieranstalt Pobada, Bees et Company, F. Elias, Wolfenbüttel, Herzog August Bibliothek).

John Field

In Dublin am 26. Juli 1782 geboren, repräsentiert John Field keineswegs die irische Musikgeschichte des frühen 19. Jahrhunderts, unter der man noch bis in die jüngste Vergangenheit ausschließlich Volksmusik in usueller Praxis und Kompositionen für traditionelle irische Instrumente verstand. Er gehört vielmehr zu jenen Pianisten und Komponisten, die ein unstetes Leben außerhalb ihrer Heimat führten. In London wurde Field von dem hochgeschätzten Klaviervirtuosen und Pädagogen Muzio Clementi unterwiesen, gleichzeitig aber auch in dessen Klavierhandlung als Verkäufer angestellt. Er folgte seinem Lehrer 1802 nach Paris und Sankt Petersburg, wo er sich wegen mehrfach aufgetretener Auszahlungsunstimmigkeiten und wegen Clementis wachsenden Neides von ihm trennte, um in den Kreisen der Aristokratie ohne seinen mißgünstigen Lehrer seinen Weg als Hauslehrer und Klaviervirtuose zu suchen. 1821 übersiedelte er aus persönlichen Gründen nach Moskau, wo er rasch sein Konzertpublikum und viele Schüler fand. Nach Konzertreisen, auf denen er Franz Liszt kennenlernte und von ihm in besonderer Weise als ein Pianist gewürdigt wurde, dessen Vortrag ,,das Gepräge einer Morbidezza" annehme, deren ,,Mattigkeit von Tag zu Tag auffallender zu werden schien", starb er in Moskau am 11. Januar 1837. Das kompositorische Werk Fields, das in den ersten Jahrzehnten des 19. Jahrhunderts einzigartig war, umfaßt neben Klavierkonzerten, einiger Kammermusik vor allem jene mit ,Nocturnes' bezeichneten Charakterstücke, durch die er noch heute im Gedächtnis bewahrt wird. Sie gelten als unmittelbare Vorläufer der poetischen Klavierstücke Frédéric Chopins und wurden von ihm selbst als lyrische Klavierstücke konzertfähig gemacht. – Das nebenstehende anonyme Konterfei, eines der wenigen Bildnisse des Komponisten, zeigt ihn schlicht nach der Mode gekleidet (London, British Museum, Inv.Nr. 042472).

Niccolò Paganini

Nachdem schon Pietro Locatelli und in seinem Gefolge Geiger wie Giuseppe Tartini neue Maßstäbe in der Violinvirtuosität gesetzt hatten, vermochte im Zeitalter der reisenden Virtuosen der hagere Niccolò Paganini die Entwicklung ins Exzentrische zu treiben, auch wenn er sich seinen Rang bisweilen mit zeitgenössischen Geigern, etwa mit Louis Spohr, teilen mußte. Der am 27. Oktober 1782 in Genua als Sohn einer unbemittelten Kaufmannsfamilie geborene und am 27. Mai 1840 in Nizza gestorbene Geigenvirtuose verließ früh sein Elternhaus, um auf Wanderschaft zu gehen. Mit der Guarneri-del-Gesù-Geige, die durch mysteriöse Umstände in seine Hände gelangt war – ein französischer Kaufmann hatte sie ihm gönnerhaft geschenkt – und die zeitlebens sein Lieblingsinstrument blieb, unternahm er ausgedehnte Reisen, von denen er erst 1804 nach Genua zurückkehrte. 1805 nahm er für nur drei Jahre die Stelle des Soloviolinisten und Kapellmeisters in Lucca an, um dann jedoch erneut wieder bis zu seinem Tode das Vagabundenleben eines reisenden Künstlers zu führen. Die Gerüchte und Legenden, die sich um den Geiger rankten, der bei seinem Auftreten stets nahezu dämonisch wirkte, steigerten sich derart ins Mysteriöse, daß man ihm nach seinem Tode gar die letzte Ruhe in geweihter Erde versagte. Der durch sein Konzertieren wohlhabend Gewordene konnte die hektische Reisetätigkeit infolge seines geschwächten Gesundheitszustands nach 1833 nur noch mit Einschränkung weiterführen. Danach widmete er sich auf seinem Gut in Parma stärker dem Komponieren. Seine 24 Capricci op.1, das Violinkonzert D-Dur, op.6, jenes in h-Moll mit dem Rondo ‚La campanella‘ und die Variationen über ‚Il Carnevale di Venezia‘, op.10, gehören zu den wichtigsten Werken der virtuosen Violinliteratur. Sie stellen höchste technische Anforderungen im Doppelgriff-, Staccato-, Flageolett- und Pizzicatospiel. – Paganini, dessen Auftritte von vielen Malern seiner Zeit festgehalten worden sind, hat in den dreißiger Jahren auch Eugène Delacroix angezogen, der gern Themen aus der Welt der Musik aufgriff, wenn er abgestufte Stimmungen in Helldunkelschattierungen wiedergeben wollte. Hier sei der Nachstich der sachlicheren Studie von Jean Ingres abgebildet, die dieser 1819 in Rom anfertigte (Calamatta, Deutsches Musikgeschichtliches Archiv, Kassel).

Louis Spohr

Das gern mit dem oft mißverstandenen Begriff des Biedermeier in Verbindung gebrachte Leben und Werk des Louis (Ludewig) Spohr verdient aus mehreren Gründen Beachtung. Er entstammte einer alten Pastoren- und Medizinerfamilie, die sich kurzzeitig in Braunschweig niedergelassen hatte, wo er am 5. April 1784 geboren wurde. Seine musikalischen Begabungen wurden früh erkannt und ausgebildet. Wie es in Bürgerfamilien damals üblich war, wurde er französiert ‚Louis‘ genannt. Dieser Rufname blieb ihm später als Künstlername haften. In seiner Selbstbiographie ist nachzulesen, daß sein Leben ohne die in der Romantik verbreitete innere Zerrissenheit verlief. Früh ging er auf ausgedehnte Wanderschaft, auf die sein Vater den kaum Fünzehnjährigen geschickt hatte. Seine erste Stellung als hoffnungsvoller Kammermusikus am Hof Herzog Carl Wilhelm Ferdinands von Braunschweig nutzte Spohr zu umfassenden Kompositionsstudien; er malte auch und ließ sein Violinspiel von damaligen Größen wie dem letzten Musiker des Mannheimer Hofes, Franz Eck, vervollkommnen. Mit ihm ging er auf Reisen, auf denen er sich als vielbeachteter Violinvirtuose einen Namen machen konnte. 1805 wurde er herzoglicher Konzertmeister und Leiter der Hofkapelle zu Gotha, heiratete 1806 die Harfenistin Dorette Scheidler und unternahm dann neben seinem Dienst zahlreiche Konzertreisen, bei denen das Künstlerpaar das europäische Publikum zu begeistern verstand. Seiner Frau widmete Spohr Solostücke, Sonaten für Violine und Harfe sowie zwei Conzertante für Harfe, Violine und Orchester. 1822 ging er als Hofkapellmeister (später Generalmusikdirektor) an den Hof zu Kassel, wo er ein arbeitsreiches wie geselliges Leben unter Schülern, Freunden und Anhängern führte, die ihn vor allem nach Erscheinen seiner ‚Gründlichen Violinschule‘, Wien 1831, aufsuchten. Er vollendete dort sein nahezu 270 Titel umfassendes Werk und starb am 22. Oktober 1859. – Spohr hinterließ eine große Zahl von Bildnissen, unter ihnen frühe Selbstporträts, Lithographien, Ölgemälde, Zeichnungen und zwei Photographien. Die Steinzeichnung des Menzelfreundes Carl Heinrich Arnold aus dem Jahre 1835 scheint treffend die Musizieratmosphäre im Hause Spohrs wiederzugeben. Spohr ist in der Bildmitte, als Primgeiger porträtiert, erkennbar (Privatbesitz).

Carl Maria von Weber

Neben Johann Friedrich Reichardt gehört der am 18. November 1786 in Eutin geborene Carl Maria (Friedrich Ernst) von Weber zu den ersten Bildungsmusikern des 19. Jahrhunderts. Seine musikalische wie schriftstellerische Tätigkeit steht im Gefolge des in Deutschland während der Freiheitskriege erwachenden Nationalgefühls und des subjektiven Idealismus. Während es in Italien und Frankreich bereits Nationalopern gab, kann Weber als der erste angesehen werden, der eine deutsche Nationaloper schrieb, nachdem sein Name schon bekannt geworden war durch die temperamentvolle Vertonung nach Theodor Körners Freiheitsliedern ,Leier und Schwert'. Wie viele seiner Zeitgenossen hatte Weber die Niederungen des ambulanten Schaustellerdaseins von Geburt an kennenlernen können, aus denen er sich jedoch zu einem sittlich geläuterten, disziplinierten Künstler zu entwickeln vermochte. Als erster moderner Opernorganisator und Dirigent war er Direktor diverser Theater, zuletzt in Dresden, wo er die Deutsche Oper gründete, der er hohes Ansehen verschaffte neben der Italienischen Oper. Sein romantisches Werk ,Der Freischütz', das 1821 in Berlin als ,,nationales Bekenntnis" (Weber) uraufgeführt wurde, verschwand seither bis heute nicht aus den Spielplänen. Gemeinsam mit den ebenfalls im Märchenhaften angesiedelten Opern ,Euryanthe' (1823) und der mit sensationellem Erfolg in London uraufgeführten Feenoper ,Oberon' wurde dieser Teil von Webers Schaffen zum Inbegriff romantisch-musikalischer Naturschilderung. Auch sein übriges Schaffen, das alle Gattungen umfaßt, gehört nach wie vor zum Repertoire besonders der Pianisten und Klarinettisten. Die großen Partituren pflegte Weber stets gottergeben mit der traditionellen Devise ,Soli Deo Gloria' zu beschließen. Wenige Wochen nach der gefeierten Uraufführung des ,Oberon' starb Weber in London am 5. Juni 1826. Im Endstadium der Schwindsucht war er in die englische Metropole aufgebrochen. – Weber ist vielfach porträtiert worden als zerbrechlicher, großbürgerlicher Musiker und musterhafter Dirigent. Der Stich nach einer Zeichnung von Carl Christian Vogel von Vogelstein von 1823 zeigt ihn, umgeben von Szenen aus dem Freischütz, dessen Symbole der ,Wolfsschlucht' und des ,Wilden Heeres' nach dem Erscheinen des ,Gespensterbuches' zum Allgemeingut geworden waren (Schiller-Nationalmuseum, Marbach a. N., Inv. Nr. 2087/54).

Friedrich Silcher

Philipp Friedrich Silcher, der am 27. Juni 1789 in Schnait im Würt-
tembergischen als Sproß einer alten schwäbischen Winzerfamilie
geboren wurde, steht mit seinem reichen, der kleinen Form ge-
widmeten Schaffen in engstem Zusammenhang mit den Grundsätzen von Heinrich Pestalozzi. Dessen Lehre und volksmusikerzie-
herische Aktivitäten, die die Veredelung und „wahre Bildung" des
Menschen durch Musik zum Ziel hatten, waren, wie schon betont,
viele Erzieher gefolgt, die fortan ihre Lebensaufgabe in der Intensi-
vierung des Männer- und Laienchorwesens und in der Pflege der
Hausmusik erkannten. Der wichtige Beitrag, den Silcher mit seinen etwa 250 Klavierliedern (zum Beispiel ‚Hab oft im Kreise der
Lieben', ‚Morgen muß ich fort von hier', ‚Alle Jahre wieder',
‚Ännchen von Tharau' oder ‚Zu Straßburg auf der Schanz') für die
schwäbische Liederschule und darüber hinaus für das deutsche
Lied geleistet hat, ist durch fälschende Nachahmungen und entstel-
lende Interpretationen in Mißkredit geraten. Das Schicksal, unter
Wert eingeschätzt zu werden, teilte Silcher mit Johann Albert
Methfessel oder Franz Abt. Seine Chorlieder, namentlich für Männerchöre, überdauerten bis auf wenige Ausnahmen seine Wir-
kungszeit in der ‚Akademischen Liedertafel', die er als Universi-
tätsmusikdirektor am Stift in Tübingen 1829 gegründet hatte, sowie als Leiter des Oratorienvereins (gegründet 1839) um nur wenige Jahre. Zur 100. Wiederkehr seines Todestages (Silcher war am
26. September 1860 in Tübingen hochgeehrt gestorben) hat man
sich neuerlich bemüht, durch eine kritische Neuausgabe mehrerer
Werke und mittels wissenschaftlicher Publikationen ein vorur-
teilsfreies Silcherbild möglich zu machen. Im ehemaligen Schul-
haus in Schnait, dem Geburtshaus des Komponisten, ist seit 1912
ein Silcher-Museum eingerichtet, in dem sein Hausrat, Bilder und
seine Klaviere ausgestellt werden. – Das nebenstehende Ölgemälde, das vor 1840 von dem Tübinger Historienmaler Friedrich Dörr
gemalt wurde, zeigt den jugendlichen Silcher als strengen Lehrmeister mit seiner Frau vor einem sanften Landschaftshintergrund
(Schnait, Silcher-Museum). Dieses Bildnis scheint den biedermei-
erlichen Musiker trefflich zu charakterisieren. In Tübingen ist ihm
schon zu Lebzeiten ein Denkmal gesetzt worden, das bis 1830 im
Hof der Neuen Aula gestanden hatte, 1872 jedoch seinen Platz
wechselte.

Carl Czerny

Der früh beachtete Wiener Pianist Carl Czerny, der schon fünf-
zehnjährig ein gesuchter Klavierpädagoge war, wurde am 21. Februar 1791 in der Donaustadt geboren, wo er auch am 15. Juli 1857
starb. Der Sohn und Schüler des Klavierlehrers Wenzel Czerny
erhielt von 1800 bis 1803 Klavierunterricht von Ludwig van
Beethoven, dem er zeit seines Lebens verbunden blieb. Später unterwiesen ihn Johann Nepomuk Hummel und Muzio Clementi.
Czerny blieb, abgesehen von einigen kurzen Reisen, als Lehrer und
bevorzugter Interpret Beethovenscher Klavierwerke ständig in
Wien. Hier entstanden neben einer großen Zahl von kirchenmusi-
kalischen Werken Orchesterstücke, Kammermusiken und metho-
disch noch heute gültige Unterrichtswerke. Franz Liszt und Theodor Kullak gehörten zu seinen zahlreichen Schülern. In der Zeit
um die Jahrhundertwende, als sich die moderne Klavierspieltech-
nik durchsetzte, stand Czerny mit seinem umfangreichen Etüdenwerk, das vornehmlich zu einem geläufigen, schnellen Spiel ver-
helfen sollte, nicht allein. Im Gegensatz zu den Begründern der
sogenannten ‚Englischen Schule‘, deren Ziel es war, größere Fin-
gerkraft, Tonvolumen und dynamische Entfaltung zu erlangen,
bekannte sich Czerny zur ‚Wiener Schule‘. Diese bezog sich auf
das Klavier Wiener Bauart, das eine auf Deutlichkeit abzielende
Spielweise erforderte, die durch die lockere Schnellkraft der Finger
erreicht wurde und nicht, wie es in den Polemiken häufig hieß,
durch häufige Verwendung des Pedals. Aus seinem Etüdenwerk
sind besonders die ‚160 achttaktigen Übungen‘, op. 821, ‚100
Übungsstücke‘, op. 139, die ‚Vorschule der Fingerfertigkeit‘, op.
636, die ‚Schule der Geläufigkeit‘, op. 299, die ‚Schule des Virtuosen‘, op. 365 und die ‚Schule der linken Hand‘, op. 399 im Gebrauch. Sein etwa 1000 *opera* umfassendes Werk, das sowohl eine
‚Vollständige theoretisch-praktische Kompositionslehre‘ (op. 600)
als auch einen ‚Umriß der ganzen Musikgeschichte‘ (1851) umfaßt,
hat sich nur partiell über seinen Tod hinaus lebendig erhalten. –
Die Lithographie von Joseph Kriehuber von 1846 mit dem Titel
‚Matinée mit Franz Liszt‘ vereint vier bedeutende Musiker im Bild:
Franz Liszt, dessen Lehrer Carl Czerny, Hector Berlioz im Hintergrund und den Geiger Heinrich Wilhelm Ernst sitzend. Kriehuber
selbst, der die Künstlerszene in Wien gut kannte, hat sich links im
Bild als Hörer abgebildet (Deutsche Fotothek, Dresden).

Giacomo Meyerbeer

Im Gegensatz zur Mehrzahl der Komponisten des 19. Jahrhunderts hatte Giacomo Meyerbeer (Jakob Liebmann Meyer-Beer) vor seinem Tode testamentarisch die Versiegelung seines schriftlichen Nachlasses verfügt, so daß sowohl die handschriftlichen Partituren als auch Skizzenbücher (Gedankenbücher), Tagebücher und Briefe der Öffentlichkeit bis 1952 weitestgehend unzugänglich blieben. Erst nach 1955 gelang es, ein umfassendes Bild dieses wohl gefeiertsten wie auch neidvollst bekrittelten Mannes der Operngeschichte dieser Zeit zu gewinnen. Seine 1831 in Paris uraufgeführte Oper ‚Robert le Diable' (‚Robert der Teufel') hatte Meyerbeers internationalen Ruhm begründet, der durch die ‚Hugenotten' 1836 noch gesteigert werden konnte. Er entstammte dem wohlhabenden Bankiershause Meyer-Beer in Berlin, wo er am 5. September 1791 geboren wurde. Sein musikdramatisches Talent wurde von Carl Friedrich Zelter, kurzfristig auch von Muzio Clementi, seit 1810 von Abbé Vogler in Darmstadt gefördert. Bei letzterem Lehrmeister studierte er gemeinsam mit Carl Maria von Weber, der später Meyerbeers erste Erfolge an italienischen Bühnen mißmutig beobachtete. Anders als Weber hatte Meyerbeer in Italien begonnen, italienische Kantabilität zu studieren. Von 1831 an ließ er sich in Paris nieder, wo er sich mit großer Anpassungsgewandtheit dem dort geltenden Geschmack beugte. Hier gewann er den Kontakt zu Eugène Scribe, der sein Librettist wurde. Zum Nachfolger Gasparo Spontinis als Generalmusikdirektor der Berliner Hofoper ernannt, kehrte Meyerbeer 1864 nach Berlin zurück, wo er die Pariser Erfolge fortsetzen konnte. Er hinterließ achtzehn Bühnenwerke, die durch ein Feuerwerk von Effekten und monströsen Theaterpraktiken wirkten. Der Tod ereilte ihn am 2. Mai 1864 in Paris bei den Proben zu seiner Oper ‚Die Afrikanerin'. Erst durch das Ereignis der wagnerschen Musikdramen wurde er aus der ihm zugekommenen Favoritenstellung verdrängt. – Im Todesjahr Meyerbeers schuf Jean Pierre Dantan eine Büste von dem Musiker, der sich zeit seines Lebens vor eitler Zurschaustellung verwahrte. So bleibt sein Nachlaß an Porträts auf wenige Bildnisse beschränkt, die ihn sachlich und selbstbewußt wiedergeben. Eine Radierung eines Fotos aus dem Pariser Atelier Nadar sei hier vorgestellt (anonym, Radierung auf Indienpapier, H. R. Beard Collection, Theatre Museum, London).

Giacomo Meyerbeer

Gioacchino Rossini

Seit sich in Italien ein Opern-Unternehmertum herausgebildet hatte, begann die glanzvollste Zeit der italienischen Oper vor Verdi. Ähnlich wie heutige Agenten boten Impresarii, allen voran Domenico Barbaja, den Künstlern durch vertragliche Bindung finanzielle Sicherheit. Barbaja war es, der die Trias Gioacchino Rossini – Gaetano Donizetti – Vincenzo Bellini maßgeblich förderte. Den Anfang dieser Ära setzte der am 29. Februar 1792 in Pesaro geborene und am 13. November 1868 in Passy bei Paris gestorbene Gioacchino Antonio Rossini, „der Schwan von Pesaro", wie man ihn nannte, dessen vielseitige musikalische Ausbildung den Erfolg der ersten Opern ‚Tancredi' und ‚Italienerin in Algier' (beide Venedig 1813) begründete. Der ab 1815 von Barbaja zu jährlich zwei Opern Verpflichtete feierte nach anfänglich verhaltener Zustimmung zur neuerlichen Bearbeitung des Beaumarchaisschen Stoffs des ‚Barbiers von Sevilla' (1816) gerade mit dieser Oper seine nachhaltigsten Triumphe. Durch Giovanni Paisiellos Vertonung hielt man dieses Thema für erschöpfend behandelt. Die Partitur des ‚Barbiere di Siviglia' besticht wie die vieler seiner Erfolgsopern durch eine feinsinnige Instrumentation, virtuose Buffo- sowie glänzend gezeichnete Charakterpartien und einen mitreißenden Lustspielgeist. Das heißt keineswegs, daß in den 40 Opern Rossinis nicht auch ernste Züge begegnen, die jedoch durch die anekdotenüberhäufte Vita des Komponisten in den Hintergrund getreten sind. Vor allem Stendhal stempelte den Erfolgsgewöhnten zum ausschließlichen Gourmet. Auf der Höhe seines Ruhms und zu pekuniärem Ertrag gelangt, zog sich Rossini 1829 aus dem Opernleben zurück und komponierte neben einem ‚Stabat Mater' nur noch einige kammermusikalische Werke. Die nachhaltige Bedeutung seines Schaffens liegt in der Potenzierung der Gattungsspezifika der komischen Oper. – Über die Qualität und Anzahl der authentischen Bildnisse Rossinis gibt es bislang keine abschließende Untersuchung. Nebenstehendes Schabkupfer-Blatt ist von Jean Charles Thevenin nach dem Gemälde von Ary Scheffer angefertigt worden. Das bekannte Gemälde entstand 1843 in dem komfortablen Appartement, das Rossini an der Place de la Madeleine Nr. 6 in Paris bewohnt hatte (New York, Sammlung Wurlitzer-Bruck).

Theobald Böhm

Unter den reisenden Flötisten des an umjubelten Virtuosen reichen
19. Jahrhunderts nimmt der am 9. April 1794 geborene Theobald
Böhm durch seine Verdienste als Neuerer im Instrumentenbau
eine außergewöhnliche Stellung ein. Als Sohn eines Goldschmieds
gelangte er über die Tätigkeit in der väterlichen Werkstatt in München, ersten Flötenunterricht und nebenberufliche flötistische Aufgaben sowie Reisen als flötespielender Handwerksbursch wieder
zurück nach München, wo er auf Wunsch des Königs 1818 zum
,,königlich Bayerischen Hofmusicus" ernannt wurde. Er widmete
sich fortan neben seiner Aufgabe als Flötist der Neukonstruktion
seines Instruments, die auf Grund des veränderten Klangideals
notwendig geworden war. Um die Querflöte vor der Verdrängung aus der Praxis zu bewahren, bemühten sich viele Flötisten
um eine grundlegende bautechnische Erneuerung. 1828 eröffnete
Böhm eine eigene Werkstatt und entwickelte bis 1847 die heute
international gebräuchliche Zylinderflöte aus Silber mit parabo-
lisch verjüngtem Kopfteil, großen, den akustischen Erfordernissen
genügenden Grifflöchern und Deckelklappen. In diese Konstruk-
tion flossen die Erfahrungen vieler Versuche ein. Sie fand rasch
Anklang, so daß englische und französische Firmen auf den Welt-
ausstellungen in London (1851) und Paris (1855) die Patente erwar-
ben und fortan ihrerseits Böhmflöten bauten. Das auch auf Klari-
netten, Oboen und Fagotte übertragene Konstruktionsprinzip, das
zwar zur Sensation auf den Ausstellungen geworden war, wurde
lediglich von Klarinettisten und Saxophonisten aufgegriffen. Von
den ehemals weitverbreiteten Kompositionen Böhms, darunter
Konzerte, Capricen, Etüden, Bearbeitungen (zum Teil unveröf-
fentlicht), ist über seinen Tod am 25. November 1881 hinaus nur
mehr weniges geläufig. In virtuos-unterhaltsamer Weise repräsen-
tieren sie die im 19. Jahrhundert beliebte Gebrauchsliteratur. – Von
wenigen Ausnahmen abgesehen, hatten Instrumentenbauer an der
allgemein üblich gewordenen Selbstdarstellung kaum Anteil.
Auch Böhm hinterließ nur einige Bilddokumente und eine knappe
autobiographische Skizze (1847). Das hier abgebildete Gemälde ist
das einzige repräsentative Porträt. Daneben überwiegen Fotos und
Lithographien. Das Bildnis wurde um 1877 von Anton Seitz gemalt. Anna Böhm, die Gattin Böhms, kopierte es (Nürnberg, Germanisches Nationalmuseum, Gm 1706, 60,5 × 48,5 cm).

Franz Berwald

Der führende Komponist in der Zeit Carl Johanns XIV., des ersten schwedischen Herrschers aus dem Hause Bernadotte, der 1809 Gustav Adolf IV. abgelöst hatte, war Franz Adolf Berwald. Dieser wurde am 23. Juli 1796 in Stockholm geboren; er starb dort am 3. April 1868. 1829 verließ er sein Land, um eine Berufschance als Komponist in Berlin und Wien an den dortigen Opernhäusern zu suchen, errang jedoch nur mäßigen Erfolg. Erst 1849 kehrte er nach Schweden zurück, dessen Königliche Oper und Hofkapelle wieder eine zentrale Stellung eingenommen hatten, die ihnen nach der gustavianischen Zeit verlorengegangen war. Fortan wurde das Bürgertum zunehmend am Musikleben beteiligt, Musikalienhandel und Verlagswesen übten eine regere Tätigkeit aus als zuvor. Berwald, der schon in den Berliner Jahren davon abgekommen war, hauptberuflich als Komponist zu arbeiten, und einem orthopädischen Institut vorstand, wurde auch in Schweden zunächst Disponent der Glasfabrik Sandö in Nordschweden und widmete sich seinen musikalischen Neigungen nur nebenbei. Erst 1864 wurde er Mitglied der Musikalischen Akademie und 1867 Kompositionsprofessor am Konservatorium in Stockholm. Seine Werke, zu Lebzeiten ihrer Eigensinnigkeit und originellen Einfälle wegen geteilt aufgenommen, teils sogar abgelehnt, werden erst in jüngster Zeit gewürdigt. 1964 trat ein Komitee zusammen, um sein Gesamtwerk im Druck herauszugeben, das 6 Sinfonien, daneben Kammermusik, einige Opern, zwei Operetten und Solokonzerte umfaßt. Daß diese Kompositionen einerseits durch Vorbilder wie Ludwig van Beethoven oder Luigi Cherubini geprägt sind, andererseits nordisches Kolorit aufweisen, ist nicht zu überhören. – Nach derzeitigem Wissen umfaßt der Nachlaß Berwalds fünf Bildnisse, eine Büste sowie Fotos. Ihm ist ein um 1837 entstandenes Pastellbild eines unbekannten Malers (vermutlich des schwedischen Pastellbildnismalers Peter Lindhberg) entnommen, das möglicherweise in Deutschland angefertigt wurde (Stockholm, Privatbesitz, 21 × 17 cm).

Carl Loewe

Ein Jahr nach dem Tode von Johann Carl Gottfried Loewe ist dessen Selbstbiographie im Druck erschienen, die durch zahlreiche Reiseberichte, einige Tagebuchblätter, Briefe sowie zusätzliche Schilderungen durch seine Tochter Helene ein Bild dieses Schulmeisters und Kantors vermittelt. Seine wenige Ferienzeit benutzte er, um Reisen zu unternehmen, auf denen er jene Eindrücke sammeln konnte, die sein kompositorisches Schaffen, vor allem seinen „Balladenvortrag beflügeln" sollten. Am 30. November 1796 wurde Loewe in Löbejün (Provinz Sachsen) als zwölftes Kind des Kantors Adam Loewe geboren, der ihn nach Daniel Gottlob Türks ‚Handstücken' früh im Orgel- und Klavierspiel unterrichtete. Später, nachdem Carl Loewe in Halle selbst Schüler Türks und Student der Theologie geworden war, bekam er die Stelle eines Organisten an der Kirche Sankt Jacobi in Stettin; dieses Amt versah er neben seiner Tätigkeit als passionierter Lehrer sechsundvierzig Jahre lang, bis er 1866 nach Kiel zog. Dort starb er hochgeehrt am 20. April 1869. Von Robert Schumann der „philiströsen" „Pedanterie der Einfachheit" bezichtigt, werden wohl die zahlreichen teilweise nicht im Druck zugänglichen Opern, Oratorien, Lieder und Instrumentalwerke Loewes ob ihrer epigonalen Faktur kaum über einen Achtungserfolg hinausfinden. Hingegen gehört er unumstritten zu den beachtetsten Balladenkomponisten wie Sängern seiner Zeit. Er verstand es, die seit Gottfried August Bürger dem Zeitgeschmack entgegenkommenden ritterlich-schauerlichen erzählenden Gedichte aus der Tradition des Sturm und Drang mit den Mitteln des Melodrams, tonmalerischer Klavierbegleitung und der Verwendung von Leitmotiven meisterlich in Musik umzusetzen und vorzutragen. Auch heute noch gehören Loewes Vertonungen der Balladen ‚Erlkönig', ‚Edward', ‚Elvershöh', ‚Herr Oluf', des ‚Zauberlehrlings' und des ‚Totentanzes' zu den eingänglichen Werken, in denen er die Mittel der strophischen Variation, der Umfärbung und psychologischen Deutung wirksam anwendete. – Dem „Uhland des Volkes", wie man ihn bisweilen nannte, sind an verschiedenen Orten Deutschlands Büsten gesetzt worden. Das 1843 von Gustav Julius Grün angefertigte Brustbild Loewes diente vielfach als Vorlage für posthum entstandene Lithographien (Kiel, Stiftung Pommern, Schloß Rantzauban).

Gaetano Donizetti

Dem am 29. November 1797 in Bergamo geborenen und dort am 8. April 1848 gestorbenen Gaetano Domenico Maria Donizetti gelang es, in außergewöhnlicher Schnelle und Leichtigkeit jenen Ruhm zu erwerben, der ihn schon zu Lebzeiten umgab. Aus armen Verhältnissen stammend, wurde er auf Empfehlung von Johann Simon Mayr, der ihn bis dahin unterrichtet hatte, 1815 am neugegründeten *Liceo filarmonico* in Bologna aufgenommen. Bei Padre Stanislao Mattei erwarb er sich während seines Studiums eine Technik des schnellen Komponierens, die ihn befähigte, bis zu fünf Opern jährlich zu schreiben, wozu er bisweilen vertraglich verpflichtet wurde. Im Zeitraum von 1816 bis 1844 entstanden 70 Opern, einige Sinfonien und geistliche Werke. Seine bedeutendste Oper *'Lucia di Lammermoor'*, nach Walter Scott, entstand 1835 für das Opernhaus von Neapel, wo er sich seit 1834 als Direktor der königlichen Theater niedergelassen hatte. Wie vor ihm Gasparo Spontini, Luigi Cherubini oder seine Zeitgenossen Gioacchino Rossini und Vincenzo Bellini wurde auch er an das *Théâtre Italien* nach Paris berufen, wo er sich seinen Erfolg bestätigen lassen konnte und nach dem Tode des Freundes Bellini die Musikszene bestimmte. Gefällig und mit einer Prise Sentimentalität versehen, entsprachen seine Einfälle dem damaligen Geschmack. Unstet pendelte er zwischen Neapel, Wien und Paris hin und her. Wenige Monate nach der erfolgreichen Uraufführung von *'Don Pasquale'*, am 3. Januar 1843, über die er selbst schreibt, daß sie ihn die immense Qual von elf Tagen Arbeit gekostet habe, zeigten sich die ersten Spuren geistiger Umnachtung. Er mußte in einer Anstalt in Ivry bei Paris gepflegt werden. Heute gehören fünf seiner in rastloser Eile geschriebenen Opern zum ständigen Repertoire, unter ihnen der heitere *'Liebestrank'* mit der berühmten Liebesromanze Nemorinos und seine einzige tragische Oper *'Lucia di Lammermoor'*. – Donizetti, der in der Ehrengalerie der neuen Mailänder Scala einen würdigen Platz einnimmt, ist vielfach gemalt worden. Aus seiner verstreuten bildlichen Hinterlassenschaft, die mit einem 1815 datierten Porträt beginnt, sei hier ein Gruppenbild gewählt, das Luigi Deleide (il Nebbio) 1840 malte, als der Komponist auf dem Gipfel seiner Karriere stand. Donizetti ist darauf zusammen mit den drei Malern Michele Bettinelli, Antonio Dolei und Giovanni Simon wiedergegeben (Museo Donizettiano, Bergamo).

Franz Schubert

Die Lebensgeschichte von Franz Peter Schubert, die an einen kleinen Anhänger- und Freundeskreis gebunden war, der sich in singulärer Weise in dessen Geburts- und Sterbeort Wien um ihn versammelt hatte, ist kurz. Schubert wurde am 31. Januar 1797 geboren und starb bereits am 19. November 1828. Zeit seines Lebens blieb es ihm versagt, in eine höhere Stellung aufzurücken, die ihm materielle Unabhängigkeit gesichert hätte, so daß er von Freunden und Gönnern abhängig war, unter ihnen die Maler Moritz von Schwind, Franz von Schober, Leopold Kupelwieser, die Dichter Eduard von Bauernfeld, Franz Grillparzer, Johann Mayerhofer sowie die Musiker Anselm Hüttenbrenner und Johann Michael Vogl, der erste Interpret seiner Lieder. Schubert mußte sich, nachdem er die Stelle als Schulgehilfe seines Vaters aufgegeben hatte, damit begnügen, unter anderem für die ab 1821 ,Schubertiaden' genannten regelmäßigen Zusammenkünfte zu komponieren oder zum Tanz aufzuspielen. Nur einmal entschloß er sich auf Drängen seiner Verleger, ein eigenes öffentliches Konzert zu geben, in dem mit großem künstlerischem wie finanziellem Erfolg einige Kammermusikwerke und Lieder zu Gehör gebracht wurden. Der ersehnte Erfolg auf der Bühne blieb trotz einiger Anläufe aus. Vereinsamt durch Krankheit und seine scheue Art, hatte er nur wenige Gelegenheiten, öffentlich aufzutreten oder seine Werke drucken zu lassen. So blieben sein rund 633 Stücke umfassendes Liedschaffen, die Kammermusik, die intim bekenntnishaften Klavierwerke und Sinfonien trotz unermüdlicher Freundeshilfe einer späteren Generation zur Würdigung überlassen. – Ebenso wie Schuberts musikalische so ist auch die bildliche Hinterlassenschaft weitgehend an die Malerfreunde gebunden, die ihn in einigen wenigen Aktionsbildern im geselligen Kreise festgehalten haben. Die Schubert-Forschung spricht lediglich von zehn authentischen Porträts, deren Zahl erst mit der Wiederentdeckung des Komponisten durch posthume Bildnisse erhöht wurde, die zumeist den heiteren Liedkomponisten meinten. Bislang unbeachtet blieben ein Bronzeporträt und einige in Wien entdeckte Gipskopien. Hier sei das Aquarell des Wiener Porträtisten Wilhelm August Rieder wiedergegeben, das 1825 zufällig entstanden sein soll und sowohl von Schubert als auch von den Freunden für das treffendste gehalten wurde (Historisches Museum der Stadt Wien).

Vincenzo Bellini

„Er war nicht häßlich . . . Es war eine hoch aufgeschossene schlan-
ke Gestalt, die sich zierlich, ich möchte sagen kokett bewegte;
immer *à quatre épingles;* . . . Dieser Ausdruck von Schmerz ersetzte
in Bellinis Gesicht den mangelnden Geist; aber es war ein Schmerz
ohne Tiefe . . .", so beschreibt Heinrich Heine 1836 in seinen ‚Flo-
rentinischen Nächten‘, einer bedeutenden Quelle zur musikalischen Situation in Paris, den dritten wichtigen italienischen
Opernkomponisten, Vincenzo Bellini. Im Gegensatz zu seinen
beiden Zeitgenossen (Gioacchino Rossini und Gaetano Donizetti)
hatte er sich als Schüler Nicola Zingarellis fast ausschließlich der
tragischen Oper zugewandt. Er verbrachte sein kurzes Leben vornehmlich in Mailand. Zwei Jahre vor seinem überraschend frühen
Tode am 23. September 1835 war er nach Paris gegangen, um nach
privaten Skandalen ungestörter arbeiten und für das *Théâtre Italien*
seine letzte Oper ‚*I Puritani*‘ (1835) schreiben zu können. Das Gesamtwerk dieses am 3. November 1801 zu Catania (Sizilien) geborenen Komponisten geriet erst mit dem Verfall des Belcanto-Ge-
sangs in Vergessenheit, dem in seinen elf Opern sein Hauptinteresse galt. Bellinis Ruhm gründet sich vor allem auf vier Werke, die
er für das *Teatro Carcano* und die Scala in Mailand komponierte: ‚*Il
Pirata*‘ (1827), ‚*La Straniera*‘ (1829), ‚*La Sonnambula*‘ und ‚*Norma*‘
(beide 1831), von denen vor allem letztere im Repertoire lebendig
geblieben ist. Die Popularität dieses Werkes, das das Schicksal und
den Tod der Druiden-Oberpriesterin Norma zum Inhalt hat, wurde in Italien durch die Besetzung Norditaliens durch die österrei-
chisch-ungarische Monarchie begünstigt, von deren Herrschaft
man sich ähnlich wie in der Oper zu befreien trachtete. In sehn-
süchtigen Liedern geben die Druiden der Hoffnung auf Befreiung
von der römischen Unterdrückung Ausdruck. – Bellini, der zu
Lebzeiten zwei Bildhauern saß, die Büsten von ihm formten, hinterließ, seiner Eitelkeit entsprechend, eine große Zahl von Bildnissen, die zum Teil im Museo Belliniamo in Bergamo bewahrt werden, unter ihnen Gemälde aus seinem Erfolgsjahr 1827 von Carlo
Arienti und sein Lieblingsporträt, das Natale Schiavoni 1830 von
ihm malte. Nebenstehendes lithographiertes Blatt stammt aus der
Hand von Cäcilie Brandt und ist zur Vervielfältigung nach Leipzig
gegeben worden (Wolfenbüttel, Herzog August Bibliothek, 12 ×
12,5 cm).

Joseph Lanner

Um 1840 entstand von der Hand Philipp Steidlers (1817–1879) nebenstehend reproduziertes Porträt, das den Wiener Tanzgeiger und führenden Komponisten dieses Genres vor Johann Strauß (Sohn), Joseph Lanner, zeigt. Nur wenige Jahre zuvor wäre eine derart fürstengleiche Repräsentativpose eines Tanzmusikers für unschicklich angesehen worden, weil dieser als Unterhaltungsmusiker traditionell der untersten sozialen Schicht angehörte. Mithin wird in diesem Bildnis, auf dem er mit aristokratischem Gehabe vor spätbarockem Mobiliar, schwerer Stoffdrapierung und den Insignien seines Amtes als Geiger und Komponist (Notenrolle) posiert und das sich in die Reihe der Porträts von Etablierten eingliedern läßt, die Verlagerung der Wertschätzung deutlich. In den letzten Jahren der konservativen Polizeiherrschaft Klemens Fürst von Metternichs, der während seiner Regentschaft danach trachtete, alle nationalen wie liberalen Strömungen des Landes einzudämmen, gelang es ihm nicht, eine allmähliche Emanzipation des gesamten Bürgertums zu verhindern, wovon dieses Gemälde beredt Zeugnis ablegt (Historisches Museum der Stadt Wien, Inv. Nr. 138.376). Joseph Lanner, am 12. April 1801 in Wien Sankt Ulrich geboren und am 14. April 1843 in Oberdöbling bei Wien gestorben, gehört zur ersten, beispiellos gefeierten Walzergeneration. Bevor er 1819 ein eigenes Tanzensemble gründete, das rasch zu einem Orchester mit wachsender Popularität wurde, hatte sich Lanner zu einem ausgezeichneten Geiger ausgebildet. Das Ensemble, in dem Johann Strauß Vater Bratschist war, bespielte die Tanzsäle und Vergnügungslokale mit Ländlern, Walzern und Galopps. Als erster veranstaltete Lanner ab 1832 in Wien sogenannte Promenadenkonzerte im Freien. Seine Walzer wurden nach dem Wiener Kongreß (1814/1815) zur vorherrschenden Form des Gesellschaftstanzes, der als Ausdruck einer geänderten Sozialordnung Weltgeltung erlangte. Die zyklische Form, die der Wiener Walzer seither mit Introduktion, fünfgliedriger Walzerkette und Coda hat, stammt von ihm. Seine ungewöhnliche Popularität durch Kompositionen wie ‚Die Lombarden‘, ‚Die Venezianer‘, ‚Die Schönbrunner‘ oder die ‚Pester Walzer‘ brachte ihm 1829 den Titel ,,Musikdirektor der K. K. Redoutensäle" ein.

Albert Lortzing

„Ich bin im Jahre 1801 am 23. October in Berlin geboren, wo mein Vater Kaufmann war." So beginnt die autobiographische Skizze, die Gustav Albert Lortzing niederschrieb. Sein Vater hatte das Lederhandwerk aufgegeben und reiste als Darsteller von Charakter- und Chargenrollen von Bühne zu Bühne. In diese Atmosphäre des Theaters wuchs der Knabe hinein und sammelte so Theaterpraxis aus erster Hand. Seit 1823 mit einer Sängerin verheiratet, wanderte er weiter von Theater zu Theater, bis er für einige Jahre ein Engagement am Hoftheater in Detmold erhielt. Dort machte er sich nicht nur als Schauspieler einen Namen. 1829 gelangte sein Oratorium ‚Die Himmelfahrt Christi' zur Aufführung, 1832 folgten die Liederspiele ‚Der Pole und sein Kind' und ‚Szenen aus Mozarts Leben', so daß er 1833 mit großer Zuversicht ein Engagement als Schauspieler, Tenorbuffo, später als Theaterkapellmeister am Stadttheater in Leipzig antreten konnte. Auch wenn er zu den damals das Kulturleben bestimmenden Persönlichkeiten keinen Kontakt fand, verlebte er hier bis 1844, dem Beginn der revolutionären Ereignisse des Vormärz, seine glücklichsten Jahre. Die zahlreichen volksnahen Spielopern, als deren Begründer er gilt, fanden begeisterte Aufnahme, etwa ‚Czar und Zimmermann oder die zwei Peter', in der er selbst die dankbare Partie des Peter Iwanow sang (1837), ‚Hans Sachs' (1840) oder ‚Der Wildschütz oder die Stimme der Natur' (1842). 1844 fand diese auch materiell befriedigende Phase seines Lebens ein Ende. Mit seiner vielköpfigen Familie begab er sich erneut auf Wanderschaft. Auch die letzte Station seines Lebens, Berlin, wo er als Patriot 1849 eine sicherere Existenz zu finden glaubte, war von der Sorge um den Broterwerb gekennzeichnet. Er starb am Tage der Uraufführung der letzten einaktigen Oper ‚Die Opernprobe' am 21. Januar 1851 und hinterließ in tiefster Armut elf Kinder. – Lortzing hat auf Grund der zumeist widrigen Lebensumstände nur wenige Bildzeugnisse hinterlassen. Erst posthum entstanden jene Bildnisse, die einen heiteren Lortzing präsentieren, der er im Leben sicher nur teilweise war. Hier sei deshalb die Totenmaske wiedergegeben. Im 19. Jahrhundert hatte man sich diese Abnahmetechnik der Renaissance wieder angeeignet, mit deren Hilfe man Büsten oder Standbilder herstellte (Lippische Landesbibliothek Detmold, Lortzing-Archiv).

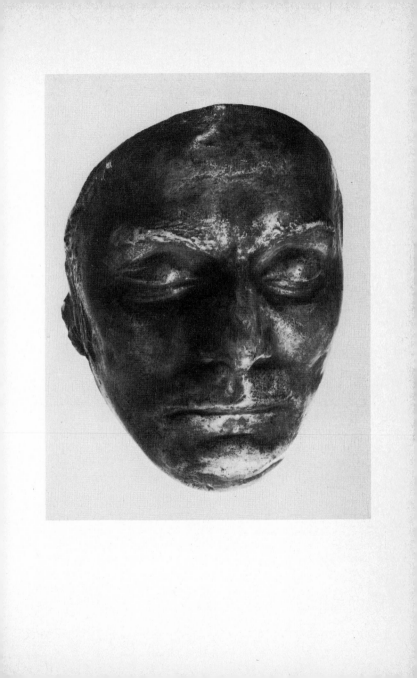

Hector Berlioz

,,Die dominierenden Eigenschaften meiner Musik sind: Leiden-
schaftlichkeit im Ausdruck, verhaltene innerliche Glut, rhythmi-
sche Energie und unerwartete Wendungen *[l'imprévu]* ", so
schreibt Hector Berlioz über seine Kunst im Postskriptum der
Memoiren, in denen sich vor dem Leser ein gepeinigtes Künstler-
leben ausbreitet. Wie dieser Text, so sind auch die von ihm über-
lieferten Bildnisse von fortschreitender resignativer Düsternis bestimmt. Am 11. Dezember 1803 in La Côte-Saint-André (Departe-
ment Isère) in einem wohlhabenden Arzthaus geboren und zum
Medizinstudium in Paris bestimmt, brach er 1823 aus der begonnenen Laufbahn aus, um Schüler von Jean-François Lesueur am
Conservatoire zu werden. Diese Institution geißelte er bald mit
Spott und Verachtung, von deren vermeintlich dumpfer Enge jedoch sein Weiterkommen in der haßgeliebten Musikmetropole
abhängig blieb. Nicht auf Grund der 1829 uraufgeführten, auto-
biographisch gemeinten *'Symphonie fantastique'*, sondern für eine
Kantate erhielt er 1830 beim dritten Anlauf den Rompreis. Der
Aufenthalt in der Villa Medici wird als Trennung vom eigentli-
chen Ziel, ein neues Stilprinzip zur Geltung zu bringen, angesehen,
die Rückkehr nach Paris als märtyrerhafte Entlassung in Not und
Kampf gegen die eingefahrenen Gleise des Pariser Musiklebens.
Seine Tätigkeit bei diversen Zeitungen, als Bibliothekar am *Conservatoire,* in dem ihm eine höhere Position versagt blieb, charakte-
risierte er als notwendiges Übel, durch das er sich den Lebensunterhalt bis zu seinem Tode am 8. März 1869 sicherte. Trotz seines
Kampfes für die eigenen Werke blieb deren ungewöhnliche Faktur
zu Lebzeiten unverstanden. Sie sind als musikalische Gestaltung
einer gespaltenen Gemütswelt heute stilistisch als Programmsinfo-
nien einzuordnen. In Oratorien *('La damnation de Faust', 'L'enfance
du Christ', 'Requiem'* oder *'Te Deum')* wie in seinen theoretischen
Schriften wies er mit überschäumender Phantasie neue Wege. – Zu
den Porträts, die nahezu alle damals namhaften Pariser Künstler
wie Karikaturisten von ihm anfertigten, finden sich nur wenige
Notizen in seinen sonst stark selbstreflektorischen Schriften. Gustave Courbet, selbst ein Außenseiter in der damaligen Gesellschaft, malte 1850 nebenstehendes Bildnis, das bei dessen Ausstellung 1851 im Salon Caré heftig umstritten war (Paris, Musée du
Louvre, 61 × 48 cm).

Michail Glinka

Die Autobiographie ‚Aufzeichnungen' von Michail Iwanowitsch Glinka ist ein beredtes Zeugnis aus der Zeit des Beginns der nationalrussischen Musik, als deren Begründer er gilt. Als Sohn eines Gutsbesitzers wurde er am 20. Mai (1. Juni) 1804 in Nowo-Spaskoje bei Jelne geboren und hatte es zeitlebens nicht nötig, für seinen Lebensunterhalt zu sorgen. Es war ihm daher möglich, nach einigen Jahren im Staatsdienst ausgedehnte Reisen durch Italien und Deutschland zu unternehmen. Erst nach der Begegnung mit dem *,sentimento brillante'* italienischer Komponisten begann Glinka, sich nach bis dahin nur dilettantisch betriebenen praktischen Versuchen in der Kompositionslehre ausbilden zu lassen. Durch den damals gesuchten Lehrer Siegfried Dehn in Berlin angeleitet, beschäftigte er sich mit einheimischen Melodien und russischen Stoffen, die durch die politischen Ereignisse in Rußland für die nationale Identität entscheidend geworden waren. Der Krieg und die Vertreibung der Heere Napoleons (1812), die erste revolutionäre Erhebung gegen den Zarismus durch den Aufstand der Dekabristen (1825) und die dieser Bewegung entgegentretende Herrschaft des Zaren Nikolaus I. (1825–1855) waren zentrale Ereignisse auf dem Lebensweg Glinkas. Er hatte selbst an den politischen Umtrieben keinen direkten Anteil, wiewohl er bereits bei der Uraufführung seiner Erfolgsoper *,Iwan Sussanin'* (1836), der ersten russischen Oper, mit dem Eigendünkel des Zaren konfrontiert wurde, der die Oper in ‚Ein Leben für den Zaren' umbenannte. Fortan galt sie als Repräsentationsoper des Zarismus. Glinka wurde daraufhin Kapellmeister der kaiserlichen Kapelle, zog jedoch nach wenigen Jahren (1839) dieser Anstellung ein unstetes Wanderleben durch Europa wieder vor. 1842 wurde seine zweite Oper ‚Ruslan und Ljudmilla' nach Alexander Puschkin ebenfalls mit Erfolg uraufgeführt. Glinka starb auf einer Reise in Berlin am 15. Februar 1857. – Groß ist die Zahl der Bildnisse, die von ihm angefertigt worden sind, darunter das repräsentative Gemälde von W. Artamonow, das die Dichter Alexander Puschkin und Wassili Shukowski in Glinkas Wohnung zeigt. Ebenso betrachtenswert ist das 1887 fertiggestellte Gemälde von Ilja Repin, das ihn bei der Arbeit an der Oper ‚Ruslan und Ljudmilla' zeigt. Zu diesem Ölbild entwarf Repin bereits 1871 nebenstehende Bleistiftskizze (Tretjakow-Galerie, Moskau, 9,8 × 14,1 cm).

М. И. Глинка
Эскиз для портрета
Ил. Репин 1871

Johann Peter Emil Hartmann

Das 1834 entstandene Ölgemälde von Wilhelm Nicolai Marstrand mit dem Titel ‚Musikalische Soirée in einem dänischen Bürgerhause' zeigt eine Szene, deren Mittelpunkt ein vor geladenen Gästen musizierendes Klavierquintett im Hause des Weinhändlers Christian Waage-Petersen in Kopenhagen bildet. Bei der Zusammenkunft der damals in der dänischen Hauptstadt tonangebenden Musiker und Komponisten sitzt der als Autorität anerkannte Lieder- und Singspielkomponist Christopher Ernst Friedrich Weyse (1774–1842) am Flügel; neben ihm stehen (von links nach rechts) Johannes Frederik Frølich (1806–1860), der Gastgeber, Ivar Frederik Bredal (1800–1864), Hans Matthisson-Hansen (1807–1890) und Johann Peter Emil (Emilius) Hartmann. Letzterer stammt aus einer deutschen Musikerfamilie und wurde am 14. Mai 1805 in Kopenhagen geboren, wo er am 10. März 1900 als einer der wenigen Romantiker nordischer Färbung starb. Er machte erst 1832 auf sich aufmerksam, folgte dann aber mit Niels Gade den deutschen Vorbildern. Von August Bournonville, der damals Ballettmeister am königlichen Ballett war, wurde Hartmann aufgefordert, die Musik zu seinen nordisch-mythologischen Balletten ‚Valkyrien' (1861), ‚Thrymskviden' (1868) und ‚Et Folkesagn' (1853) zu schreiben, die noch heute Bestandteil des dänischen Theater-Repertoires sind. Sie bilden neben seinen Opern, Sinfonien, Schauspielmusiken, etlichen Sonaten, vor allem aber den vielen Liedern sowie Romanzen einen bedeutenden Beitrag zur dänischen Musik des 19. Jahrhunderts. Das erste Drittel dieses Jahrhunderts war hauptsächlich von den Werken der Wiener Klassik bestimmt gewesen. Erst durch Persönlichkeiten wie Friedrich Kuhlau und Christopher Ernst Friedrich Weyse wurde eine nationell geprägte Eigenständigkeit entwickelt (auf dem vorliegenden Gemälde wird beidem, der Wiener Klassik wie den Neuerern gehuldigt, denn im Hintergrund werden die Porträts von Wolfgang Amadeus Mozart, Joseph Haydn, Ludwig van Beethoven und Friedrich Kuhlau sichtbar). Das nebenstehende Gemälde gehört zu den wenigen Bildern, auf denen gesellschaftliche Gepflogenheiten in Kopenhagen während der ersten Hälfte des 19. Jahrhunderts mit der Kammermusikpraxis als Bezugspunkt detailliert veranschaulicht sind (Nationalhistoriske Museum Frederiksborg, Inv. Nr. 281, 96,5 × 75 cm).

Felix Mendelssohn Bartholdy

Wenn Friedrich Nietzsche in ‚Jenseits von Gut und Böse' über Felix Mendelssohn Bartholdy schrieb als einen, der ,,um seiner leichteren, reineren beglückteren Seele willen schnell verehrt und ebenso schnell vergessen wurde: als der schöne Zwischenfall in der deutschen Musik", so ist das eine Charakterisierung, die man erst in jüngster Zeit zu überdenken und zu revidieren trachtet. Dem am 3. Februar 1809 als Sohn der assimilierten deutsch-jüdischen Aristokratenfamilie in Hamburg Geborenen wurde in Berlin eine musisch-humanistische Bildung durch ausgesuchte Hauslehrer zuteil, unter anderem durch Friedrich Zelter. Die Berliner Singakademie ermöglichte dem zwanzigjährigen Mendelssohn die von Zelter selbst gewissenhaft vorbereitete Wiederaufführung der Matthäus-Passion von Johann Sebastian Bach im Jahre 1829. Sie steht seither nicht nur am Beginn der Bach-Renaissance, sondern prägte das kirchenmusikalische Schaffen Mendelssohns nachhaltig mit, bis in die Gestaltung der Großform seiner Reformations-Sinfonie hinein. Bevor er sich vertraglich fest band, unternahm Mendelssohn traditionsgemäß Lehr- und Wanderreisen, auf denen so populäre Werke wie die Italienische oder die Schottische Sinfonie entstanden. Außerdem dienten ihm diese dazu, Kontakte zu Künstlern und der Aristokratie Englands, Frankreichs und Italiens zu gewinnen. Während seiner wenigen Jahre als städtischer Musikdirektor in Düsseldorf und schließlich als Leiter der Gewandhauskonzerte in Leipzig schuf er ein reiches kompositorisches Werk, dessen Spektrum von den subtilen ‚Liedern ohne Worte' bis zu Schauspielmusiken, Solokonzerten und Kammermusikwerken reicht. Seine Tätigkeit in Leipzig, unterbrochen durch weitere Konzertreisen, verstand er als Mission auf dem Wege, Deutschland zum musikalischen Zentrum Europas zu machen. In der Gründung und Leitung des Konservatoriums in Leipzig (1843), dem angesehensten Ausbildungsinstitut des 19. Jahrhunderts, sah er sein Lebensziel erfüllt. Er starb am 4. November 1847. – Die Porträts seiner Freunde Eduard Bendemann und Friedrich von Schadow hielt Mendelssohn, der selbst gern zum Zeichenstift gegriffen hat, für die besten unter seinen zahlreichen Bildnissen. Als *Gentleman of leisure* malte ihn 1830 der Engländer James Warren Childe auf nebenstehendem Aquarell (Berlin, Staatsbibliothek, Preußischer Kulturbesitz, Mendelssohn-Archiv).

Frédéric Chopin

War Joseph Elsner als Wahlpole das Bindeglied zwischen dem klassischen Stil und einer polnischen Romantik gewesen, so steht Frédéric (Fryderyk, Franticek, François) Chopin als dessen Schüler im Mittelpunkt der romantisch nationellen Musik Polens. Der am 1. März 1810 in Zelazowa-Wola als Sohn eines französischen Vaters und einer Polin Geborene und am 17. Oktober 1849 in Paris Gestorbene verließ zur Zeit des Novemberaufstandes 1830 als vollendeter Klaviervirtuose sein Heimatland, um sich in die Musikmetropole Paris zu begeben. Dort bestimmte großes Mitgefühl mit dem Schicksal Polens die Salons, so daß Chopin in den Kreisen um Hector Berlioz, Franz Liszt, Vincenzo Bellini, Honoré de Balzac und anderen auf großes Interesse stieß und dort zum Inbegriff polnischer Musik wurde. Nie wurde Chopin das Haupt einer Klavierschule, noch erschloß er sich als reisender Pianist oder Komponist einer breiteren Öffentlichkeit – er wirkte vornehmlich im engen Kreise ausgewählter Salons als Schwarm junger Frauen, die an seiner Musik die Mischung aus Melancholie, Poesie und dämonischer Leidenschaft schätzten. ,,Wie einer Seele Sang, die zu den Sinnen spräche'', schrieb Balzac über Chopins Kunst. Sein Werk, das er nahezu ausschließlich vom Klavier aus für das Klavier komponierte, gehört heute zum Konzertrepertoire aller Pianisten und umfaßt dreizehn Bände der in Leipzig 1878–1880 veröffentlichten ersten Gesamtausgabe. Es ist bestimmt durch Virtuosität, die im Dienste von schlichten Formen steht. Reich an Arabesken, klangvollen und kühnen Modulationen, wurde sein empfindsamer Stil bald von zahlreichen Nachahmern aufgegriffen. Ihn verband ein freundschaftliches Vertrauensverhältnis mit Eugène Delacroix, der mit seinem ,,petit Chopin'' ausgedehnte Kunstgespräche führte, von denen der Maler in seinen Tagebüchern ausführlich berichtet. Seine in den Jahren von 1838 bis 1847 entstandenen Bildnisse, vor allem aber sein auf 1838 datiertes Gemälde gehört zu den eindrucksvollsten Porträts des Pianisten (Paris, Musée du Louvre, 46 × 38 cm). Mehr als auf den zahlreichen Konterfeien, die seit 1826 als Freundschaftsgaben oder als von George Sand in Auftrag gegebene Werke entstanden sind, gelang es dem Maler in diesem Bild, das als Gruppenbild geplant war, aus dem George Sand entfernt wurde, Komponist und Werk zu charakterisieren.

Adolf Friedrich Hesse

Nebenstehende Lithographie, die 1831 in der Wiener Lithographierwerkstatt Josef Kriehubers angefertigt worden ist, zeigt den Orgelvirtuosen Adolf Friedrich Hesse, den langjährigen Freund Louis Spohrs (Deutsche Staatsbibliothek Berlin/DDR). Er wurde als Sohn eines Orgelbauers am 30. August 1809 in Breslau geboren. Als vielbewunderter Virtuose ist er im eigenen Lande wie im gesamten Westeuropa, insbesondere in Paris und London gefeiert worden, vor allem als Interpret eigener Kompositionen. Die Orgelmusik, deren Bedeutung in diesem Jahrhundert durch den Verlust an Aufgaben in den Kirchen sehr eingeschränkt war, spaltete sich allmählich in zwei Richtungen auf; Werke der einen blieben funktional für den Gebrauch bei Gottesdiensten bestimmend, während solche der anderen ausschließlich für den ,,Concertvortrag" gedacht waren. Die Orgel, ausgestattet mit Crescendowalze und Jalousieschweller, wurde zum Universalinstrument und zum ,,zweiten gewaltigen Orchester". Gemeinsam mit Abbé Vogler, Felix Mendelssohn Bartholdy, August Gottfried Ritter und Joseph Gabriel Rheinberger förderte Hesse diese zweite Richtung, auch wenn er durch seine Lehrer Friedrich Wilhelm Berner und den Bach-Enkelschüler Johann Heinrich Rinck zum Hüter alter Spieltraditionen erzogen worden war. 1844 zum königlich preußischen Musikdirektor ernannt, bekleidete Hesse das Amt des Organisten an der Bernhardin-Kirche in Breslau neben seiner Tätigkeit als Lehrer. Auch als Dirigent von Sinfoniekonzerten des Breslauer Opernorchesters gehörte er bis zu seinem Tode am 5. August 1863 zum gesuchten gesellschaftlichen Mittelpunkt des Breslauer Musiklebens. Seine Kunst und Praxiserfahrung wurden durch den Schüler Nicolas Jacques Lemmens nach Belgien und Frankreich getragen.

Franz Erkel

Ferenc (Franz) Erkel gilt in Ungarn als der Schöpfer einer ungarischsprachigen Oper und mithin des national geprägten Stils in diesem Land. Er wurde am 7. November 1810 zu Gyula (Komitat Békés) geboren und in Preßburg zum Pianisten und Komponisten ausgebildet. Nachdem die ungarische Bühnenmusik bis dahin aus Umdichtungen italienischsprachiger Stoffe oder der Übernahme von Wiener Zauberpossen bestanden hatte, mußten die Werke Erkels spontan beeindrucken. Sie sind stilistisch ein Gemisch aus italienischen Vorbildern und der populären Verbunkos-Musik, in dem das Publikum die Musizierweise der Zigeunerkapellen wiedererkannte. Erkel begann seine vielfältigen Tätigkeiten im siebenbürgischen Klausenburg um 1830. 1838 wurde er Kapellmeister am neugegründeten Ungarischen Nationaltheater in Budapest, wo er nicht nur die Konzerte der Philharmonischen Gesellschaft begründete und leitete, sondern auch die Direktion der Landes-Musikschule innehatte. Die letzte seiner 10 Opern, die ausschließlich ungarische Sujets aufgreifen, ,István király‘, war für die Eröffnung des königlichen Opernhauses 1885 komponiert worden und ist noch heute im Repertoire, ebenso seine 1844 vollendete Oper ,Hunyadi László‘, die mit zündender Musik versehene Oper ,Bánk Bán‘ (1861) oder die frühe Vertonung des brisanten Stoffs ,Báthori Mária‘ von 1840. Unbeeindruckt von den musikalischen Ereignissen im westlichen Europa, etwa durch die Musik Richard Wagners, schuf Erkel ungarisch getönte Kunstmusik, die seit dem ,Duo brillante‘ für den Violinvirtuosen Henri Vieuxtemps, in dem ein ,air hongrois‘ Furore machte und zum Muster für ähnliche Genrestücke à la ungarese wurde, zum Ausdruck nationaler Identität in der Musik geworden war. Erkel starb hochgeehrt am 15. Juni 1893 in Budapest. – 1896 errichtete man ihm in seinem Geburtsort ein Denkmal. Bereits 1855 ging der Komponist in die historische Bildergalerie des Ungarischen Nationalmuseums ein. Alajos Györgyi hatte zu diesem Zweck ein repräsentatives Standesporträt geschaffen, das ihn in Inspirationspose, einen Arm auf eine noch unvollendete Partiturseite gestützt, zeigt. Vor ihm liegen die Partituren der erfolgreich aufgeführten Opern ,Hunyadi László‘ und ,Báthori Mária‘. Wie Franz Liszt ließ sich Erkel in der Nationaltracht malen, in der er auch auf nebenstehender Photographie erscheint (Wien, Bildarchiv der Österreichischen Nationalbibliothek).

Fanny Elßler

War in Sankt Petersburg bereits um 1738 eine kaiserliche Ballett-
schule gegründet worden, bildete das *Royal Danish Ballet* neben
der Pariser Schule auch ein leistungsstarkes Ensemble, so bedurfte
diese Kunst dennoch in der ersten Hälfte des 19. Jahrhunderts einer
grundlegenden Reform, die mit Carlo Blasius begann. Seine Trak-
tate, 1820 und 1828 veröffentlicht, boten erstmals eine kodifizierte
Methode an, die bis heute die Grundlage des klassischen Balletts
bildet. Die *„dansereuse aérienne"*, Marie Taglioni, deren Name mit
dieser ersten Phase des Ballettstils des 19. Jahrhunderts verbunden
ist, gehört zu denjenigen Tänzerinnen, die den Spitzentanz be-
herrschten. Am 23. Juni 1810 wurde in Gumpendorf bei Wien
Fanny (Franziska) Elßler geboren, die als Tänzerin *„terre à terre"*
den Gegentyp zur Taglioni verkörpern sollte. Ihre ersten Triumphe feierte sie in Paris, wo sie ihr dramatisches Temperament zeigen konnte. In Ballette wie *,La gypsy'* oder *,La tarentule'* (beide
1839) brachte sie Elemente des folkloristischen Tanzens, etwa die
andalusische Cachucha oder den polnischen Krakowiak ein, die
seither zum selbständigen ,klassischen Teil' des Theatertanzes geworden sind. Fanny Elßler tanzte an den Bühnen Wiens, Berlins,
Londons, in Paris und unternahm eine vielbeachtete Amerikatour-
nee, bei der sie in einigen ihrer Starrollen auftrat. Ab 1851 zog sie
sich von der Bühne zurück und widmete sich ihrer Familie, die in
Wien lebte. Als hochgeehrte Künstlerin starb sie dort am 27. November 1884. – In ihrer umfangreichen Bildnishinterlassenschaft
spiegelt sich die uneingeschränkte Verehrung wider, die man per-
fekten Darbietungskünstlern entgegenbrachte. Huldigende Ölgemälde, etwa von Ferdinand Waldmüller, stehen neben allegori-
schen Bildnissen, Lithographien aus der Werkstatt Joseph Kriehubers, Marmorbüsten, Hand- und Fußabgüssen. Nach der Tänzerin
wurden Biskuitporzellanfiguren gefertigt, und sie erschien als
Abziehbild auf Schokoladentassen. Die damals aufblühende Spiel-
zeugwaren- und Nippesindustrie brachte sogar Kinderbögen mit
der Elßler heraus, so daß ihre Popularität alle sozialen Schichten
erreichte. Eines der repräsentativen Ölgemälde, das in den USA
von Henry Inman 1840 gemalt worden ist und sie zur großen
Dame stilisiert wiedergibt, sei hier vorgestellt (Eisenstadt, Burgenländisches Landesmuseum).

Robert Schumann

Robert Alexander Schumanns Musikanschauung kreiste um das
‚Poetische‘ als das Bestimmende in der Musik, das unabhängig
war von rational verfestigtem Formenbau und sich dem Hörer
sinnlich erschließen sollte. Er wurde am 8. Juni 1810 in Zwickau
geboren und starb am 29. Juli 1856 in Endenich bei Bonn. Sein
Leben war eng mit der Lebensgefährtin und berufenen Interpretin
seiner Werke Clara (geborene Wieck) verbunden, die sich unermüdlich bemühte, das kompositorische Werk ihres Mannes zu
verbreiten, dem das zeitgenössische Publikum zunächst nicht folgen konnte. Seine dem musikalischen Einfall verpflichteten ‚Träu-
mereien‘ blieben hinter Schumanns Erfolg als Kulturpolitiker und
Kunstkritiker zurück. Bis 1844 gab er die ‚Neue Zeitschrift für
Musik‘ heraus, die als Fachorgan gegen die Verflachung des Musiklebens 1834 vom Kreis um Schumann in Leipzig gegründet
wurde. Von seinem Künstlerfreund Felix Mendelssohn Bartholdy
an das neugegründete Leipziger Konservatorium berufen, gehörte
er zu den ersten Lehrern dieses Instituts, das er jedoch auf Anraten
der Ärzte bereits 1844 wieder verließ, um sich einem weniger
aufreizenden Wirkungsfeld in Dresden zuzuwenden. Dort fand er
ebenfalls eine Freundesrunde vor, zu der Richard Wagner, Ferdinand Hiller und die Maler Eduard Bendemann, Ludwig Richter
und Ernst Rietschel gehörten, die das Künstlerehepaar einige Male
im Bild festhielten. Nach 1848, als die Künstlergruppe durch die
revolutionären Ereignisse auseinandergegangen war, trat Schumann die Nachfolge Ferdinand Hillers als Musikdirektor in Düsseldorf an. Dort wurde er, von nur wenigen Menschen umgeben,
mehr und mehr von Anfällen der Melancholie überwältigt. Die
schaffensreichste Zeit waren die Leipziger Jahre, in denen er, getragen von dem Freundesbund der Davidsbündler, Klavierwerke,
Chor- und Kammermusik verfaßt hat. – ‚‚Hast Du noch das kleine
Doppelporträt? Du würdest mich dadurch sehr beglücken . . .‘‘,
schrieb Schumann 1854 nach langer Trennung aus der Nervenheil-
anstalt Endenich an seine Frau Clara und meinte das von dem
Verleger Breitkopf und Härtel in Auftrag gegebene Relief von
Ernst Rietschel (Zwickau, Schumann-Museum), das nebenstehend
in einer der zahllosen Steinzeichnungen, hier von Eduard Kaiser,
wiedergegeben sei (Kassel, Deutsches Musikgeschichtliches Archiv).

Franz Liszt

Franz Liszt, der 1865 „*la poesia, la pittura e la musica*" als „*tre arti sorelle*" definierte, ließ damit die für geistesverwandt erklärten Werke der Maler und Bildhauer nicht selten zum programmatischen Bezugsobjekt seiner Werke werden. Er wurde am 22. Oktober 1811 in Raiding (Burgenland) geboren und starb am 31. Juli 1886 während der Festspiele seines Freundes und Schwiegersohns Richard Wagner in Bayreuth als emanzipierter, weitgereister Künstler, der über Erfahrungen in vielen Ländern, Völkern und Künsten verfügte. Er pflegte den Umgang mit Historienmalern, Nazarenern oder klassizistisch orientierten Bildkünstlern, unter ihnen Moritz von Schwind, Ilja Repin, Dominique Ingres und Franz von Lenbach. Daher läßt sich das Leben Liszts, der nicht nur in Virtuosenattitüde sich gebender Pianist, sondern auch Dirigent, Komponist, Lehrer, Literat und nach dem entsagungsvollen, 1865 vollzogenen Schritt in die Welt des Katholizismus Abbé war, durch einen reichen Fundus von Bildwerken dokumentieren. Von seiner Begegnung mit Ingres in Rom an hatte man sich daran gewöhnt, den Klaviervirtuosen verklärt darzustellen, beziehungsvoll und ikonographisch sogar in die Tradition der ‚Versuchung des Heiligen Antonius' zu rücken, was Ilja Repin in seinem großformatigen Bildnis versuchte, das in Liszts Todesjahr entstand. Die Vorliebe für Porträts wie dieses mag mit dem Umstand zusammenhängen, daß Liszt „die lithographischen Porträts nicht gut leiden" konnte, weil sie „ein etwas bourgeoismäßiges Aussehen haben" (Brief an Richard Wagner, 1853). Demnach sind die Medaillons, Büsten, Fresken, irrealen Aktionsbilder wie Photos aus den Werkstätten ganz Europas insgesamt im Sinne des geniegläubigen 19. Jahrhunderts gefertigt. Unter ihnen bildet die 1839 in Rom entstandene, nebenstehende Graphitzeichnung von Ingres eine Ausnahme. Sie ist von allen Manieren frei und wurde seiner damaligen Lebensgefährtin Gräfin Marie d'Agoult gewidmet, die bis 1847 Anteil an Liszts literarischem und musikalischem Schaffen hatte (Bayreuth, Richard-Wagner-Museum, Haus Wahnfried). Zu seinen Hauptwerken gehören neben Klavierwerken vor allem die Symphonischen Dichtungen, die mit der für ihn typischen Apotheose enden und ein programmatisches Konzept haben gemäß seiner eingangs skizzierten Kunstanschauung.

Giuseppe Verdi

Aus dem am 19. Oktober 1879 an Giovanni Ricordi in Sant' Agata gegebenen autobiographischen Bericht des in Italien beispiellos gefeierten Giuseppe (Fortunimo, Francesco) Verdi ergibt sich das Bild eines überaus stolzen Mannes. Gewöhnlich wehrte der Komponist jegliche Einbrüche in seine Privatsphäre ab, so daß dieses Dokument eines der wenigen persönlichen ist. Als Sohn armer Leute am 10. Oktober 1813 in Le Roncole bei Busseto geboren, erlebte er eine steile Karriere und eilte von Erfolg zu Erfolg. Die Gunst der Impresarii und des Verlagshauses Ricordi retteten ihn über die wenigen Mißerfolge hinweg; Verdi konnte auf diesem Sicherheitspolster ein 26 Werke umfassendes Opernschaffen entwickeln, das 1839 mit ‚Oberto‘ begann. Zehn weitere folgten rasch aufeinander bis hin zu dramatischen Stoffen wie ‚Rigoletto‘ (Venedig 1851), ‚La Traviata‘ (Venedig 1853), ‚La forza del destino‘ (Sankt Petersburg 1861) sowie einer Vertonung eines Textes von Friedrich Schiller, ‚Don Carlos‘ (1867). Beauftragt, für das anläßlich der Eröffnung des Suez-Kanals neu erbaute Italienische Theater in Kairo eine Festoper zu schreiben, gelang ihm mit ‚Aida‘ (1871) erneut ein Werk, das zum Weltrepertoire gehört. Die beiden letzten Opern ‚Otello‘ (Mailand 1887) und die tiefgründige lyrische Komödie ‚Falstaff‘ (Mailand 1893) entstanden nach einer Schaffenspause von mehreren Jahren. Mit der Schlußfuge ‚Alles ist Spaß auf Erden . . . alles Gefoppte‘ verläßt Falstaff die Bühne; zugleich ist es Verdis eigener Abgang, über den Arigo Boito, der Textdichter Verdis, schrieb: ,,Ein Lebenswerk der Leidenschaft endigt mit einem Ausbruch von Heiterkeit." Der Tod ereilte den Maestro in seinem Mailänder Hotel am 27. Januar 1901. Verdi, der einen großen Teil seines Vermögens dem von ihm errichteten Heim für alte Musiker *(casa di riposo)* in Mailand zukommen ließ, ist in der Kapelle dieses Hauses an der Seite seiner zweiten Lebensgefährtin begraben. – Verdi hinterließ eine Anzahl ausschließlich von italienischen Malern und Bildhauern gemalter Porträts und Photos, die er offensichtlich, wo immer er war, gern anfertigen ließ. Eine Ausnahme unter den teils pathetischen Bildnissen bilden die impressionistischen Bildnisse von Giuseppe Barbaglia und das von Verdi selbst sehr geschätzte hier vorgestellte Pastell von Giovanni Boldini, das nach etlichen Bleistift- und Kohleskizzen 1886 in Paris entstanden ist (Rom, Galleria Nazionale d'Arte moderna).

Richard Wagner

Schon im Text der Einleitung wurde auf den „Regisseur seiner selbst", Wilhelm Richard Wagner, besonderes Augenmerk gerichtet, der sein Leben lang gezielt nach geeigneten Porträtisten suchte. Die bildliche Dokumentation des großen Komponisten, der am 22. Mai 1813 in Leipzig geboren wurde und am 13. Februar 1883 im Palazzo Vendramin in Venedig starb, beginnt mit einem Scherenschnitt und endet mit zwei stillen Blättern des engen Vertrauten der Familie, Paul Joukowsky, die er am Vorabend von Wagners Tod in das Notizbuch von Frau Cosima skizzierte. Dazwischen entstanden im Verlauf eines musikgeschichtlich überaus folgenreichen Schaffenswegs mehr als neunzig authentische Porträts, Büsten, Plaketten, Medaillons und Photographien. Er wurde von Friedrich Nietzsche wie Thomas Mann ratlos fasziniert beobachtet, und letzterer fand 1933 folgende Worte: „Physiognomisch zerfurcht von allen seinen Zügen, überladen mit allen seinen Trieben, so sehe ich sie, und kaum weiß ich die Liebe zu seinem Werk, einem der großartig fragwürdigsten, vieldeutigsten und faszinierendsten Phänomene der schöpferischen Welt, zu unterscheiden von der Liebe zu dem Jahrhundert, dessen größten Teil sein Leben ausfüllt, dies unruhvoll umgetriebene, gequälte, besessene und verkannte, in Weltruhmesglanz mündende Leben . . ." („Leiden und Größe Richard Wagners'). Das hier gewählte Porträt Wagners, 1864/1865 von Friedrich Pecht großformatig gemalt, markiert jenen Moment in Wagners Leben, in dem er vom bayerischen König Ludwig II. uneingeschränkt gefördert wurde. Sein zielloses Herumirren auf der Flucht vor seinen Verfolgern nach seiner Beteiligung an der Dresdener Revolution von 1849 und später vor seinen Gläubigern fand damit ein vorläufiges Ende. Nicht nur übersiedelte Wagner nach München, um am 10. Juni 1865 seine Oper ‚Tristan und Isolde' uraufzuführen, sondern er kaufte auch 1872 das Bayreuther Grundstück, dessen Erwerb ihm der König im wesentlichen ermöglichte. Für die sich damals anbahnende Gastfreundschaft des Königs dedizierte ihm Wagner das Pechtsche Gemälde, das er seinem Gönner in höchster Devotion überreichte. Im Begleittext, der eine Interpretation des Bildes ist, auf dem er „Meines geliebten Beschützers Büste mit auf dem Bilde" anbringt, hebt er seine Intentionen besonders hervor (New York, The Metropolitan Museum of Art, 132 × 116 cm).

Nationalsängergruppe Leo aus Zell am Ziller

„Ein solches Herumziehen, sei es unter was immer für einem Vorwande, kommt uns schier immer bettelhaft vor ... Und werden diese Sänger und Sängerinnen nicht fremde Sitten in das stille Dorf oder Thal zurückbringen? ... Laßt, liebe Landleute! derlei Narrheiten stehen", so hieß es in einem Aufruf in der Zeitschrift ‚Tiroler Sänger‘ von 1851 (S. 907). Dennoch entsprach den Weltreisen europäischer Virtuosen längst das konzertierende Herumreisen ‚exotischer‘ Ensembles, die sich mit Zitaten aus ihrem Leben produzierten. Nicht immer jedoch boten diese Musikantengruppen in ‚Zigeunerconcerten‘, Auftritten ‚böhmischer Fidler‘, der ‚Rogowaja Musyka‘ (der russischen Eintonhornisten) oder der zahlreichen Tiroler Sänger originäre Volksweisen dar. Vielmehr hatten sie sich seit dem 18. Jahrhundert auf erprobte Muster abgestimmt. Bereits 1757 erwähnt der Dichter August Bürger Tiroler und Tirolerinnen, die in der Gegend von Göttingen durch Liedvorträge auf sich aufmerksam machten. Seither galten, begünstigt durch die politischen Ereignisse der Napoleonischen Kriege, ‚Naturklänge‘ als kommerziell einträgliche Quelle. Diese wurde besonders von jenen Musikanten genutzt, die in verarmten Rückzugsgebieten ein karges Dasein fristeten. Unter Berufung auf ihre sängerischen Fähigkeiten fanden besonders die Zillertaler Natursängerfamilien bei Kaisern, Königen und dem gemischten Konzertpublikum vieler europäischer Städte Gehör. Diese Favorisierung von folkloristisch unterhaltenden Salontirolern, die von Hofschneidern eingekleidet wurden, wirkte sich auch nachhaltig auf den amerikanischen Kontinent aus. Seit 1839 traten sie als ‚Tyrolese Minstrels‘ mit Jodlern und Gesängen wie ‚Du, du liegst mir im Herzen‘, ‚Der Schweizerbue‘ oder ‚Zu Lauterbach hab‘ ich mein Strumpf verlor‘n‘ in der englischsprachigen Welt auf. Eine dieser ‚Singing families‘ war die Familie Leo aus Zell am Ziller. Die Brüder Balthasar, Sebastian und Anton Leo gemeinsam mit Creszentia Faidl und Matthias Widmoser wurden bei ihren Auftritten in Weimar 1826 von Johann Wolfgang von Goethe so sehr geschätzt, daß er die „fesche" Creszentia von Josef Schmeller porträtieren ließ. – Hier sei die ganze Gruppe vorgestellt in einer um 1825/1830 angefertigten Lithographie von Otto Speckter (Innsbruck, Tiroler Landesmuseum Ferdinandeum, Inv.Nr. FB 4510/49).

Hanser   Wastel   Censel   Hiesel   Tonel

Balthasar See   *Sebastian See*   *Creszenz Faistl*   *Mathias Wetmoser*   *Anton See*

aus Zell im Zillerthal in Tyrol.

Lithogr. von gedr. bei J. Stu. Leuz.

Johannes Verhulst

Das auf dem Wiener Kongreß begründete *Koninkrijk der Nederlanden,* dort selbst verallgemeinernd Holland genannt, orientierte sich schon vor dieser Gründung vornehmlich am benachbarten Deutschland, besonders nach 1815. Zahllose deutschsprachige Musiker hatten am Aufbau des Musiklebens Anteil. Johannes Josephus Hermanus Verhulst indessen erreichte neben den zahlreichen Dirigenten und Organisatoren dieser Zeit der Neuorientierung als Holländer internationalen Rang. Er wurde am 19. März 1816 in 's Gravenhage geboren und starb dort am 17. Januar 1891. An der dortigen Königlichen Musikschule, die kurz zuvor gegründet worden war und unter dem Direktorat des holländischen Violinisten und Dirigenten Johann Heinrich Lübeck stand, bildete er sich zum Organisten, Geiger und Komponisten aus. In den folgenden Jahren bekleidete er verschiedene Ämter als Kirchenorganist wie als Geiger in der Hofkapelle sowie im dortigen *Théâtre français,* bevor er 1838 zur Vervollkommnung seiner Studien zu Felix Mendelssohn Bartholdy nach Leipzig ging. Dort schloß er sich dem ‚Davidsbündler‘-Kreis um Robert Schumann an und griff die damals leidenschaftlich diskutierten Forderungen dieses Künstlerbundes auf, die er nach seiner Rückkehr in Holland zu verwirklichen trachtete. 1842 berief man ihn als Dirigenten nach Rotterdam, wo er das Orchester und den Gesangsverein der Abteilung der *Maatschappij tot Bevordering der Toonkunst* übernahm. Geschult durch seine Tätigkeit als Dirigent der Konzerte des Leipziger Musikvereins Euterpe, leitete er in Rotterdam das international beachtete und vielfach im Bild festgehaltene Musikfest im Jahre 1854, für das eigens eine Festhalle errichtet worden war. Die nationale Musikgesellschaft konnte in diesem Jahr ihr fünfundzwanzigjähriges Bestehen feiern, und es galt, das inzwischen erlangte künstlerische Leistungsvermögen zu demonstrieren. Bis zu seinem erzwungenen Rücktritt 1884 beherrschte Verhulst das gesamte holländische Musikleben. Seine Kompositionen, darunter Sinfonien, geistliche Werke und dramatische Liedvertonungen, gehören in die von Leipzig beeinflußte Richtung national-romantischer Werke. – Von den wenigen Bildnissen des Musikers sei hier ein Blatt reproduziert, das 1850 für das *‚Album der Schoone Kunsten‘* mit der Signatur 5759 von J. J. van Brederode gekreidet wurde (Gemeentelijke Archiefdienst Rotterdam, Inv.Nr. 2708, 22,5 × 18 cm).

Niels Gade

Gemeinsam mit dem um wenige Jahre älteren Johann Emil Hartmann gehört Niels Wilhelm Gade zu den Musikern in Dänemark,
die das Musikleben mitprägten. Der am 22. Februar 1817 in Kopenhagen geborene und dort am 21. Dezember 1890 gestorbene
Komponist war neben seiner Tätigkeit als Geiger der königlichen
Kapelle federführendes Mitglied in einem musikalisch-literari-
schen Zirkel, der sich für die Romantik einsetzte, die in Dänemark
von Adam Gottlob Oehlenschläger initiiert worden war. Nur zögernd schloß sich dieser vornehmlich die Literatur betreffenden
Richtung eine musikalische an, für die Gade zugleich mit nationa-
lem Engagement eintrat. Erstmals gab er seiner künstlerischen Intention in der Ouvertüre ‚Nachklänge aus Ossian‘ (op. 1) Ausdruck, die unter dem Motto steht: „Formel hält uns nicht gebunden, unsere Kunst heißt Poesie" (Ludwig Uhland). 1843 ging Gade, mit einem Staatsstipendium ausgestattet, nach Leipzig zu Felix
Mendelssohn Bartholdy, der seine Symphonie in c-Moll bereits
mit großem Erfolg uraufgeführt hatte, so daß sich ihm der Leipziger Kreis um Mendelssohn und Robert Schumann freundschaftlich
öffnete. Als Dirigent der Gewandhauskonzerte erlebte er in dieser
Stadt eine glänzende Karriere. Nach dem Tode Mendelssohns
konnte er die Position als dessen Nachfolger nur noch wenige
Monate bis zum Ausbruch des Schleswig-Holsteinischen Krieges
wahrnehmen, der ihn 1848 wieder in seine Heimatstadt zwang.
Unter Einsatz administrativer Fähigkeiten begann er das Kopenhagener Musikleben in verschiedenen Stellungen zu fördern. Als Direktor der Konzerte des Musikvereins, Organist, Gründungsmit-
glied des Konservatoriums und zeitweise königlich-dänischer Hofkapellmeister genoß er große Verehrung. In seinen Kompositionen griff er zum Teil nordisches Liedgut auf; durch gekonnt kunst-
volle Umarbeitung der Vorbilder wurden die Singspiele, Ballette
für das hochentwickelte königliche dänische Ballett (zum Beispiel
‚Folkesagn‘, 1853), 8 Sinfonien, Orgelwerke, Kantaten für Chor,
Soli und Orchester – ‚Comala‘ op. 12 (1846), ‚Erlkönigs Tochter‘
op. 39 (1853) oder ‚Baldurs Traum‘ (1858) – vielfach aufgeführt
und sehr populär. – Gade wird hier in einer undatierten, von ihm
signierten Photographie aus dem Kopenhagener Atelier Hansen
und Weller vorgestellt (Westfälisches Landesmuseum für Kunst
und Kulturgeschichte Münster, Porträtarchiv Diepenbroick).

Niels W. Gade

Charles Gounod

Auguste Dominique Ingres fertigte die hier reproduzierte Bleistiftzeichnung von Charles François Gounod an. Sie war eine Freundschaftsgabe des Malers an den jungen Rompreisträger mit der ei-
genhändig auf dem Blatt vermerkten Dedikation ,,Ingres à son
jeune ami M. Gounod / Rom 1841", (seit 1964 in der Collection of
the Art Institute of Chicago, 30 × 23 cm). Man erkennt auf dem
Notenpult des Klaviers die Titelseite von Wolfgang Amadeus Mozarts *,Don Giovanni'*, dessen Klavierauszug Gounod mit nach Rom
genommen hatte. Für Ingres bedeutete gerade diese Oper einen
Höhepunkt in der Musikgeschichte, so daß sich Musiker und Maler in der gemeinsamen Vorliebe fanden. Überdies war Gounod,
der aus dem Hause eines Malers kam, in besonderer Weise der
Malerei zugetan, eine Leidenschaft, bei der er ebenfalls in Rom von
einem Freund wiedergegeben wurde, der ihn vor der Staffelei malte. Gounods wechselvolles Leben hatte in Paris begonnen, wo er
am 17. Juni 1818 geboren worden war. Erst nach dem Italienauf-
enthalt wandte er sich der Oper zu, da seine meist religiös moti-
vierten Kompositionen nach seiner Rückkehr aus Rom auf hart-
näckige Ablehnung stießen. Mit den ab 1851 entstandenen
8 Opern, darunter die Vertonung des Goetheschen ,Faust', die ein
Welterfolg wurde, schuf er zusammen mit Ambroise Thomas den
Typus der *,Opéra lyrique'*. Der als Vorlage dienende Goethetext
wurde dergestalt bearbeitet, daß ihm sowohl die Geistigkeit als
auch das Ringende verlorenging zugunsten eines sentimentalen
Operngeschehens zwischen Gut und Böse. Bei der Uraufführung
1859 wurde die Oper vom Pariser Publikum reserviert aufgenommen. Erst nach mehrmaliger Umarbeitung gelang die bis heute
gültige Fassung von *,Faust et Marguérite'*. Gounods übriges Opernschaffen, aus dem ,Die Königin von Saba' (1862) und *,Mireille'*
(1864) genannt seien, ist nahezu in Vergessenheit geraten. Nachhaltige Bedeutung errang der Komponist auf dem Gebiet des Lied-
schaffens. Mit seinen *,Mélodies'*, in denen er die französische Ro-
manze und darüber hinaus den Deklamationsstil zu erneuern trachtete, schuf er Lieblingsstücke der Salons, insbesondere mit der
Bearbeitung des *,Ave Maria'*, einer *,Méditation sur le premier Prélude
de Bach'*. Gounod starb, nachdem er einige Jahre während des Krieges 1870/1871 in England verbracht hatte, in Paris am 18. Oktober
1893.

Jacques Offenbach

Der französisch Jacques statt Jacob Offenbach genannte „Amüseur des zweiten Empire", gesuchtes Gegenüber zahlreicher Karikaturisten, wurde am 20. Juni 1819 in Köln als Sohn des Spielmanns, Buchbinders und Synagogenvorbeters Isaac Juda Eberst, der Offenbacher, geboren. Er starb am 5. Oktober 1880 in seiner Wahlheimat Paris nach einem bewegten Leben. Der Vater hatte ihn wie seinen Bruder Juda 1833 zum Studium nach Paris gebracht, wo er unter dem Namen Jacques am *Conservatoire* trotz der sonst üblichen Zurückweisung von Ausländern Aufnahme fand. 1834 verließ er das Institut aus Geldnot und sorgte als Cellist im Orchester des Theaters *Ambigu Comique* für seinen Lebensunterhalt. Mit Romanzen, Walzern und Satiren, die auf Bällen, bei Gartenfesten und in den Salons gespielt wurden, machte er sich schnell einen Namen. Zunächst fand er aus der Rolle des grotesken Salonvirtuosen nicht heraus, dachte daran, nach Amerika auszuwandern, und wurde daran nur durch die Gründung der Kommanditgesellschaft ‚Offenbach & Cie' gehindert, die 1855 mit einem Spielprivileg für drei Personen die *‚Bouffes Parisiens'* eröffnete. Er hatte mit beißenden, politisch-gesellschaftlichen Spötteleien, mit übermütigen Effekten, zu deren Darbietung er publikumswirksame Künstler engagierte, großen Erfolg. Trotz einiger Engagements im Ausland geriet er in finanzielle Schwierigkeiten, so daß er vor seinen Gläubigern fliehen mußte. Als er nach Paris zurückgekehrt war, wurde seine an die Vaudeville-Praxis anknüpfende *Opéra bouffon ‚Orphée aux Enfers'* zweihundertachtundzwanzigmal wiederholt und trotz eines Sturms der Entrüstung in Frankreich zum Typus der Buffonerie. Bis zum Sturz des Kaiserreichs komponierte er Opern, die im In- und Ausland umjubelt wurden. Infolge des Machtwechsels schwand indessen Offenbachs Ruhm rasch dahin. Die Krönung seines 102 Bühnenwerke umfassenden Œuvres bildet die Oper *‚Les Contes d'Hoffmann'* (‚Hoffmanns Erzählungen'), die erst vier Monate nach Offenbachs Tod uraufgeführt wurde. – Der Pariser Paul Nadar gehört zur ersten Generation von Photographen, die sich mit Wagemut und Erfindungsgabe der Photoreportage und Porträtphotographie widmeten. Er, der ausschließlich von Porträtstudien berühmter Zeitgenossen lebte, fertigte 1876 nebenstehendes Photo an, das den Musiker auf der Höhe seines Ruhmes zeigt (London, Victoria and Albert Museum).

Jenny Lind

Als letzte Primadonna der romantischen Oper, erste Liedinterpre-
tin und Oratoriensängerin gehört die mit bedeutenden Künstlern
ihrer Zeit freundschaftlich verbundene Johanna Maria Jenny Lind
(verheiratete Goldschmidt) zu jenen in England hochgeehrten Mu-
sikerinnen, die ihre letzte Ruhestätte in der Westminster Abbey
erhielten. 1894 wurde der am 6. Oktober 1820 in Stockholm Geborenen und am 2. November 1887 in Malvern Wells bei London
Gestorbenen dort ein Denkmal gesetzt, das neben dem Monument
von Georg Friedrich Händel steht. Die ,Schwedische Nachtigall'
ist durch ihre unglückliche Liebe zu Hans Christian Andersen in
dessen ,Märchen meines Lebens', vor allem aber in dem Märchen
,Der Kaiser und die Nachtigall' in die Weltliteratur eingegangen.
Ausgebildet auf Kosten der Stockholmer Oper, debütierte sie dort
1838 in ,Frondörerna', der einzigen Oper des schwedischen Kom-
ponisten Fredrik Lindblad, und als Agathe im ,Freischütz' von
Carl Maria von Weber. Die neuerliche Ausbildungszeit bei dem
gesuchten Gesangspädagogen Manuel García in Paris nutzte die
Sängerin, um mit Giacomo Meyerbeer Kontakte zu knüpfen. Die
Alice in dessen ,Robert le Diable' sollte später zu ihrer wichtigsten
Rolle neben den großen Partien des italienischen Belcantofachs
,Sonnambula' und ,Norma' (Vincenzo Bellini), ,Lucia di Lammermoor' oder ,Fille du Régiment' (Gaetano Donizetti) werden. International bereits gefeiert, wurde sie 1847 an ,Her Majesty's Theatre'
nach London verpflichtet und avancierte bald zum Mittelpunkt des
dortigen Opernlebens. 1849 gab sie diese Tätigkeit zugunsten ihrer
Vorliebe, als Konzertsängerin und Pädagogin zu wirken, auf und
unterrichtete seither am Royal College of Music. Von 1850 bis 1852
unternahm sie eine mit 150 Konzerten sehr ausgedehnte, vielbeachtete Tournee durch die USA, die von dem ersten Zirkusdirek-
tor und Agenten Phineas Taylor Barnum arrangiert worden war. –
Auf Grund ihrer großen Popularität ist Jenny Lind viele Male porträtiert worden, zumeist in großen repräsentativen Gemälden. Kö-
niginnengleich ist sie auch auf nebenstehendem Gemälde dargestellt, das sie als Norma zeigt. Das Bild wurde von ihr als
Abschiedsgabe an ihre Berliner Wirtsleute in Auftrag gegeben.
Der ihr befreundete Maler Eduard Magnus stellte es 1846 fertig
(National Portrait Gallery, London, Inv. Nr. 3801).

Henri Vieuxtemps

Im 19. Jahrhundert erregten verschiedene Konzertvereinigungen, die von geschäftstüchtigen Unternehmern geleitet wurden, in der Öffentlichkeit großes Aufsehen. Bei den von diesen Gruppen in der ganzen Welt veranstalteten ‚Associationsconcerten‘, in denen man damals eine wichtige ‚Culturerscheinung‘ sah, war man meist auf Show bedacht und verstand es, „für geringes Geld die vereinten Kunstleistungen von vier bis fünf Virtuosen europäischen Rufes" anzubieten. Eine dieser Vereinigungen war die 1845 gegründete ‚Musical Union‘, die nach Eröffnung der *Saint James Hall* (1858) in London „beinahe jeden Dienstag" in „Morgenconcerten" auftrat. Auf der Gegenseite sei das Gruppenporträt dieser Starunion wiedergegeben, das 1851 von Charles Baugniet angefertigt worden ist. Auf der großformatigen Lithographie sind achtzehn Musiker vereinigt, unter ihnen Heinrich Wilhelm Ernst (links, sitzend), der Londoner Geigenbauer William Hill, der österreichische Violinist Ferdinand Laub, der Kontrabassist und langjährige Operndirektor des Londoner Theaters Giovanni Bottesini, die Pianisten Ernst Pauer und Charles Hallé, einige Komponisten, etwa William S. Bennett, dessen ‚*Three Musical Sketches for the Piano Forte*‘ auf dem Notenpult des Klaviers liegen, und der belgische Violinvirtuose Henri Vieuxtemps (dritter von links, stehend). Dieses Blatt (National Portrait Gallery, London) ist keineswegs singulär; bereits im 18. Jahrhundert hatte man Künstlermedaillons zu Parnaßdarstellungen zusammengestellt. Vieuxtemps, der der Londoner Vereinigung angehörte, sich jedoch hauptsächlich von dem amerikanischen Manager Ullman vermitteln ließ, wurde am 17. Februar 1820 im belgischen Verviers geboren und starb am 6. Juni 1881 in einem Sanatorium in Mustapha, Algerien. In London konnte er als vierzehnjähriger, von seinem Landsmann Charles Bériot bis zur Perfektion ausgebildeter Violinist auftreten und Niccolò Paganini kennenlernen, dem er nachzueifern begann. Nach Konzertreisen durch ganz Europa, die USA und Rußland, wo er 1846 die Stellung als Solist des Zaren in Sankt Petersburg angenommen hatte, kehrte er 1871 nach Belgien zurück. Er widmete sich dort als Professor am Konservatorium in Brüssel dem Nachwuchs und verfaßte seine Autobiographie. Vieuxtemps' Violin-Kompositionen, die 61 *opera* umfassen, gehören bis heute zu den hochvirtuosen Werken für dieses Instrument.

César Franck

César Auguste Jean Guilleaume Hubert Franck, zu dessen wenigen
Porträts das hier wiedergegebene, späte Ölgemälde der Bildnis-
und Genremalerin Jeanne Rongier gehört, das ihn idealisiert am
Spieltisch seiner Pariser Cavaillé-Coll-Orgel in der Kirche Sainte-
Clotilde zeigt, war der Begründer der neufranzösischen Orgelschule (Foto Flor Peeters, Mecheln). Seine aus Deutschland stam-
mende Familie war nach dem Wiener Kongreß nach Lüttich übersiedelt, wo er am 10. Dezember 1822 geboren wurde und auch
seine erste Ausbildung erhielt. 1835 ging er nach Paris. Zunächst
profilierte er sich als Pianist, ließ es jedoch auf einen Bruch mit
seiner Familie ankommen, die in ihm einen Klaviervirtuosen sah,
als er sich ab 1840 der Orgel zuwandte, die seinen Kunstintentio-
nen mehr entsprach. Am Pariser *Conservatoire* war er Schüler von
Anton Reicha, später von François Benoist und Ambroise Lebor-
ne, der Reichas Nachfolger geworden war. Sein Studium gipfelte
darin, daß er sowohl in der Fugenkomposition als auch im Orgel-
und Klavierspiel begehrte Preise errang. Nach zweijährigem Aufenthalt in Lüttich ließ sich Franck 1843 in Paris nieder, wo er bis zu
seinem Tode am 9. November 1890 blieb. Bis 1859 war er auf
Schüler angewiesen, da er nach den politischen Ereignissen von
1848 finanziell in Schwierigkeiten geraten war. Ab 1859 bekleidete
er die Stellung des Organisten an der Kirche Sainte-Clotilde, 1872
trat er die Nachfolge seines Lehrers Benoist am *Conservatoire* an.
Franck komponierte neben Kammermusikwerken, einer Sinfonie,
zwei Opern und Orgelwerken Oratorien – unter anderem ‚Ruth‘
(1845), *,Le tour de Babel‘* (1865) –, eine Gattung, die in Frankreich
erst zu Beginn des 19. Jahrhunderts neuerlich gefördert worden
war. Unter der Bezeichnung *mystère* oder *drame sacré* wurden geistliche Werke seit Jean François Lesueur wieder zum Bestandteil
bürgerlicher Musikübung. Franck suchte sich in einigen seiner
Werke durch Monothematik von traditionellen Gestaltungsweisen
abzusetzen. Mit ihrer kühnen Chromatik gehören heute die Orgel-
choräle, die Violinsonate in A-Dur und die Sinfonie zum Repertoire. Die zahlreichen Schüler Francks, unter ihnen Vincent d'Indy
und Claude Debussy, erkannten in ihm die epochemachende Persönlichkeit.

Peter Cornelius

Carl August Peter Cornelius, der feinsinnige Neffe des gleichna-
migen Malers nazarenischer Schule, möge hier als ein Vertreter
jener Komponistengeneration stehen, die unmittelbar unter dem
Einfluß von Richard Wagner stand. Kritisch sah er seine Tätigkeit
in einer kurzen autobiographischen Skizze als „achtenswerte Arbeit eines Talents auf dem Boden, den ein Genius [Wagner] urbar
gemacht hat". Cornelius wurde am 24. Dezember 1824 in Mainz
als Sohn eines Schauspielerehepaars geboren und von seinen Eltern
gleichfalls zum Schauspieler erzogen, bevor er nach Berlin übersiedelte, um bei Siegfried Dehn Komposition zu studieren. Im Hause
seines Onkels traf er mit bedeutenden Persönlichkeiten wie Bettina
von Arnim, Joseph von Eichendorff und Wilhelm von Humboldt
zusammen und befreundete sich mit Paul Heyse. Nebenbei als
Kritiker an den Berliner Zeitschriften ‚Echo' und ‚Modespiegel'
beschäftigt, später Sekretär von Franz Liszt, erwarb er rasch allgemein Sympathien. Als Vorkämpfer der neudeutschen Schule begab er sich jedoch in das Spannungsfeld, das zwischen Konservativen und Neuerern entstanden war. Dem „Selbstverbrennungspro-
zeß" (Cornelius) in Wagners Musik wollte er seine „festgefügten
Formen" entgegensetzen. Diese Intention trachtete er in den poetischen Opern ‚Der Barbier von Bagdad' (1858) und ‚Der Cid'
(1865), die beide in Weimar entstanden sind, zu verwirklichen.
Cornelius, der Liszt nach Weimar gefolgt war, befreundete sich
hier mit dem Maler Friedrich Preller, der ihm 1855 die hier wiedergegebene Bleistiftzeichnung dedizierte (Weimar, Schloßmuseum).
Über Wien folgte Cornelius seinem Idol Wagner nach München,
während er wenige Jahre zuvor den Ruf dorthin mit der Begründung abgelehnt hatte, daß er zu musikpoetischem Schaffen berufen
sei. Als enger Freund der Familie Wagner wirkte er gemeinsam
mit Hans von Bülow bis kurz vor seinem Tode an der königlichen
Musik- und Opernschule in München. Die Hauptstärke des Dich-
termusikers liegt in der Komposition von Liederzyklen, etwa der
Weihnachtslieder op. 8 oder ‚An Bertha' op. 15, in denen er vornehmlich eigene Texte vertonte.

Peter Cornelius

Bedřich Smetana

Als „Vater der tschechischen Musik" wird Bedřich (Friedrich) Smetana noch heute verehrt, ein Komponist, dem es gelang, sich in der Zeit nationaler Separierung mit einer eigenen Musiksprache vom Einfluß der österreichischen Schule Wiener Prägung zu lösen. Er gilt als der Begründer der tschechischen Nationaloper. Smetana wurde am 2. März 1824 in Leitomischl geboren und widmete sich ab 1843 ganz der Musik. Zum Pianisten ausgebildet, gründete er bereits 1848 eine eigene Musikschule in Prag, in der er bis 1856 als temperamentvoller Musiklehrer wirkte. Nachdem ihm jedoch der Plan, einen Prager Musikverein zu gründen, verwehrt wurde, nahm er einen Ruf nach Göteborg an, wo er mehrere Jahre Leiter der Abonnementskonzerte der *Harmoniska Sällskapet* war. 1861 nach Prag zurückgekehrt, konnte er als Kapellmeister des Nationaltheaters frei walten, nachdem die ersten dramatischen Werke positiv aufgenommen worden waren. Seine komische Oper ‚Die verkaufte Braut' jedoch errang erst nach mehrmaliger Umarbeitung ab 1871 den Erfolg, den sie bis heute mit ihrer bäuerlichen Folklore auf den Bühnen hat. Smetana unterdes traf das schwere Los des Verlustes der Hörfähigkeit. Zu den ergreifenden Dokumenten der „Ergebung in das unabwendbare Schicksal" (Smetana) gehört jene Stelle des e-Moll-Streichquartettes ‚Aus meinem Leben', in dessen Finale der Komponist durch einen langgedehnten Violinton die hereinbrechende Taubheit schildert. Einige Jahre vor seinem Tode zog er zu seiner Tochter in das kleine Dorf Jabkenice in ein Haus, dessen Räumlichkeiten heute als Museum fungieren und die seit Smetanas Tod in einer Prager Nervenanstalt am 12. Mai 1884 unverändert geblieben sind. Franz Liszts Porträts hängen an der Wand als Zeichen der Verehrung Smetanas für seinen großzügigen Gönner, die Statue Apolls und des mythischen Sängers Lumir schmücken die sonst bescheiden eingerichteten Räumlichkeiten. Jene Lumir-Gestalt gilt in der Tschechoslowakei als Künderin der Vorzeit, mit deren Beschwörung Smetana die Symphonische Dichtung *‚Ma Vlast'* einleitet. – In Göteborg entstand 1858 das Ölbildnis, das Geske Saloman (1821–1902) vermutlich als Auftrag ausgeführt hat (Göteborgs historiska museum, dep. Musikhistoriska museet Stockholm).

Anton Bruckner

Der Entschluß, sich ausschließlich der Musik zu widmen, reifte in Anton Bruckner, der am 4. September 1824 in Ansfelden (Oberösterreich) geboren wurde, erst langsam. Bis zur Übernahme der Stelle des Domorganisten in Linz 1855 hatte er die Präparandie in Linz besucht, das Orgelspiel erlernt und war zehn Jahre Hilfslehrer in der Volksschule Sankt Florian gewesen. In Linz, wo er seinen Ruf als hervorragender Organist und Improvisator begründen konnte, entstanden in den fruchtbaren Jahren bis 1868 die ersten überragenden Werke, die Messen in d-, e- und f-Moll sowie die erste Symphonie. Als Professor für Generalbaß, Kontrapunkt und Orgelspiel wurde er dann an das Konservatorium nach Wien berufen, wo er bis zu seinem Tode am 11. Oktober 1896 schaffensreiche, aber auch konfliktreiche Jahre verbrachte. Es gelang Bruckner ebensowenig wie Johannes Brahms, sich aus dem Streit zwischen Traditionalisten und Neudeutschen herauszuhalten, in den er als Wagnerverehrer verwickelt wurde. Seit 1859 hatten sich unter dem Namen ‚Neudeutsche Schule‘ Vertreter jener musikalischen Ausdrucksform unter der geistigen Anregung Franz Liszts konstituiert, die sich dem Musikdrama und der Programmsinfonie zuwandten. Von den ‚konservativen‘ Musikern, die sich der Wiener Klassik verpflichtet fühlten, als ‚Zukunftsmusiker‘ abqualifiziert, wurden die ‚Neudeutschen‘ in allen Musikzentren, vor allem aber in den Kreisen um Robert Schumann und Eduard Hanslick, in eine erbitterte Fehde verwickelt, der sich bis zum Ende des 19. Jahrhunderts kein Musiker entziehen konnte. Bruckner, in Fragen wie dieser ohne inneres Engagement, zog sich immer stärker in das Milieu der Stifte Klosterneuburg, Kremsmünster und Sankt Florian zurück. Das überwiegend geistliche Werk schuf er aus ungebrochener Religiosität und Katholizität heraus, die den eindrucksvollsten Niederschlag in seinem ‚Te Deum‘ fand. Bruckner hatte große Scheu, sich von Malern porträtieren zu lassen. Vielmehr ließ er sich unter dem Druck seines zunehmenden Bekanntheitsgrades in den Wiener Jahren in immer gleicher Pose photographieren. Lediglich die Modellierarbeiten Viktor Tilgners an seiner Büste (1891) verfolgte er interessiert. Hier sei ein Ölgemälde von Hermann Kaulbach gewählt (Linz, Oberösterreichisches Landesmuseum, Inv. Nr. G 297), das 1885 entstanden ist.

Eduard Hanslick

Eduard Hanslick, der am 11. September 1825 in Prag geboren wurde und am 6. August 1904 in Baden bei Wien starb, löste mit seiner erstmals 1854 erschienenen Schrift ‚Vom Musikalisch Schönen‘ einen Prinzipienstreit unter Musiktheoretikern und Komponisten aus, der unter anderen von Adolf Bernhard Marx und Ferdinand Hiller auf der einen und Richard Wagner und seiner Gefolgschaft auf der gegnerischen Seite ausgefochten wurde. Der Satz von der Musik, die ,,tönend bewegte Form“ sei, ,,unabhängig und unbedürftig eines von außen her kommenden Inhalts, einzig in den Tönen und ihrer künstlerischen Verbindung“ bestehend, hat damals eine Hauptfrage der Musikästhetik aufgeworfen. Bis heute kontrovers und lebhaft diskutiert, stellte diese These in Frage, was Franz Liszt in der Begründung einer ‚Akademie der Künste‘ gerade postuliert hatte. Im Werk von Johannes Brahms hingegen sah Hanslick seine Forderungen verkörpert. Als Publizist hatte er an der ‚Wiener Musikzeitung‘ begonnen. Den Beruf als Fiskalbeamter betrachtete er als Unterhaltssicherung, die er alsbald aufgeben konnte, als er 1852 in die Universitätsabteilung des Kultusministeriums berufen wurde. Obengenannte Schrift wurde von der Philosophischen Fakultät 1856 als Habilitationsschrift angenommen. Im selben Jahr begann er seine Lehrtätigkeit als Privatdozent für Geschichte und Ästhetik der Musik an der Wiener Universität. 1870 wurde ihm eine ordentliche Professur verliehen. Erst 1895 zog er sich, der Mitglied vieler Kommissionen, Berater und Berichterstatter war, in den Ruhestand zurück. Als unermüdlich schaffender und maßgeblicher Kritiker hat er viele bedeutende Musiker Europas kennengelernt und manches vernichtende Urteil gesprochen. – Die von ihm provozierte ästhetische Kontroverse bot vielfach Anlaß zu beißenden Karikaturen, etwa von Theodor Zasche (im Wiener ‚Figaro‘ von 1890), der Brahms auf ein Denkmal hob, vor dem Hanslick Weihehandlungen vollzieht. Der ebenfalls karikaturistisch gemeinte Scherenschnitt (1896) von Otto Böhler stellt eine mutmaßliche Begegnung zwischen dem Kritiker und dem ‚Wagnerianer‘ Anton Bruckner dar (Original verschollen, Gesellschaft der Musikfreunde, Wien).

Johann Strauß

Der Walzerkönig Johann Strauß (Sohn), dessen 150. Geburtstag in Wien 1975 mit einer repräsentativen Großausstellung gefeiert wurde, entstammte der vielverzweigten österreichischen Musikerfamilie, die mit Johann Strauß (Vater) sowie mit Joseph Lanner in Wien dem Walzer zum Durchbruch verholfen hat. Strauß (Vater) und Lanner hatten es vermocht, den Walzer zu einem alle Schichten begeisternden Tanz zu machen, indem sie ihm eine neue Form gaben und das Klangbild von Violinstimmen bestimmen ließen. Johann Strauß (Sohn) wurde am 25. Oktober 1825 in Wien geboren und starb dort am 3. Juni 1899. Auf seinen frühzeitig unternommenen Konzertreisen, die ihn bis in die USA brachten, galt er als Repräsentant des Wiener Charmes. In Wien wurde er zum Mittelpunkt des gesellschaftlichen Interesses als Schöpfer nicht nur zahlreicher pikanter Walzer-Kompositionen und Leiter der Wiener Hofbälle, sondern auch als Verfasser der Erfolgsoperetten ,Die Fledermaus‘, ,Der Zigeunerbaron‘ oder ,Eine Nacht in Venedig‘, mit denen es ihm 1894 gar gelang, in die ,Heiligen Hallen am Ring‘, die Staatsoper, einzuziehen. Operetten waren bis dahin an die Wiener Vorstadttheater gebunden, so daß es für Strauß ein großer Prestigegewinn war, diese Barrieren überwunden zu haben. – Von Josef Kriehuber bereits 1853 lithographiert, wurde Strauß in zahlreichen Bildnissen vom Plakatdruck, Aktionsbild, Großporträt bis zu Gedenkmünzen, Büsten und Denkmälern festgehalten. Die Praxis, das Porträt eines Komponisten als Frontispiz einer Notenausgabe erscheinen zu lassen, war in dieser Zeit ausschließlich den Unterhaltungsmusikern vorbehalten, wovon Strauß häufig Gebrauch machte, um seine Popularität zu verstärken. Zu seinem fünfzigjährigen Dienstjubiläum 1894, das mit aufwendigen Feierlichkeiten begangen wurde und zu dem Münzprägungen sowie Sonderausgaben erschienen, ist das hier reproduzierte Ölgemälde ,Ein Abend bei Johann Strauß‘ von Franz von Bayros entstanden (Johann Strauß Wohnung, Museen der Stadt Wien, Praterstraße 54). Der Jubilar, der aristokratengleich am Klavier den Mittelpunkt bildet innerhalb eines prunkvollen Interieurs, wird während einer jener Festivitäten gezeigt, die in den Wiener Tageszeitungen für Schlagzeilen sorgten. Er ist umgeben von Malerfreunden, Johannes Brahms (links) und Karl Goldmark (rechts) sowie einigen Vertretern der Wiener Gesellschaft.

Anton Rubinstein

Anton Grigorjewitsch Rubinstein, der am 16. (28.) November 1829 in Wychwatinetz bei Balta (Podolien) geboren wurde, trat 1839 erstmals als Pianist auf und gehörte seither zu jenen Virtuosen, die man nicht nur gehört, sondern auch gesehen haben mußte. Mit der Interpretation des ‚Feuertanzes‘ von Manuel de Falla hatte er seinen Ruf gefestigt. Nach ausgedehnten Studien, die er sowohl in Paris unter Anleitung von Franz Liszt als auch bei Siegfried Dehn in Berlin betrieb, kehrte er 1848 nach Rußland zurück, um sich in Sankt Petersburg niederzulassen. Dort entfaltete er eine große Aktivität als Organisator. Er suchte der Zeit des Dilettantismus und Semiprofessionalismus ein Ende zu setzen und gründete 1862 gemeinsam mit seinem Bruder Nikolaj, mit dem er in den Jahren 1844 bis 1846 in Berlin Komposition studiert hatte, das Petersburger Konservatorium. Damit begann in Rußland die Phase einer geregelten Berufsmusikerausbildung; hiermit war die Voraussetzung für ein Netz von Ausbildungsstätten sowie für die gezielte Förderung russischer Komponisten geschaffen. Die Leitung dieses Instituts lag bis 1867 in den Händen Rubinsteins. Als er wieder auf ausgedehnten Konzertreisen war, trat sein Bruder an seine Stelle. Anton hielt sich längere Zeit in Wien und in den USA auf. Ab 1891 hatte er seinen Wohnsitz in Dresden. Rubinstein legte nicht nur die bis heute gültigen Grundlagen für die sogenannte russische Pianistenschule, sondern war auch einer der ersten, der die ältere Klaviermusik aus ihrem hausmusikalischen Bereich aufs Konzertpodium brachte. Hinter diesen Verdiensten ist Rubinsteins Ruhm als Komponist einiger Opern, zahlreicher Solokonzerte, Kammermusik sowie von 6 Sinfonien verblaßt. Er starb am 8. (20.) November 1894 zu Peterhof bei Sankt Petersburg. – Die Porträts, die *ad vivum* von dem imposanten Virtuosen angefertigt wurden, sind über die ganze Welt verstreut, so daß derzeit ein abschließendes Urteil über sie nicht möglich ist. Ilja Repin porträtierte den reisenden Pianisten; anläßlich seines Todes wurde eine Anton-Rubinstein-Medaille geprägt; am geläufigsten sind jedoch die zahlreichen Photographien, die von ihm gemacht worden sind. Elisabeth Merkurjewna-Boehm fertigte im Jahre 1886 nebenstehende Silhouettenzeichnung als Buchillustration zu Rubinsteins ‚Erinnerungen aus fünfzig Jahren, 1839–1889‘, die in deutscher Sprache 1893 in Leipzig ediert wurden (Seite 110).

Hans Freiherr von Bülow

Die heute im Mittelpunkt des öffentlichen Interesses stehenden
Stardirigenten haben in Hans Guido Freiherrn von Bülow ihren
frühesten Repräsentanten. Als Gastdirigent vieler namhafter Orchester führte er als einer der ersten dieses Berufsstandes ein Leben
im Dienst der Werkdeutung und -interpretation. Im Gegensatz zu
den Vorgängern betrachtete er das Komponieren als Nebensache.
Am 8. Januar 1830 wurde er in Dresden geboren und früh der
Schüler von Friedrich Wieck und Max Eberwein. 1848 begann er
das Studium der Rechte in Leipzig, hatte es bis dahin zu einem
beachtlichen Können auf dem Klavier gebracht und wirkte nach
der Aufführung von Richard Wagners ‚Lohengrin' 1850 in Weimar als angesehener Musiker. Von Wagners Gedanken begeistert,
die gerade in dessen Schrift ‚Die Kunst und die Revolution' erschienen waren, folgte er seinem Idol nach Zürich. Seine pianisti-
schen Fähigkeiten vervollkommnete er bei Franz Liszt. Nach einiger Zeit als Theaterkapellmeister in Sankt Gallen begann er 1853
als Klaviervirtuose zu reisen und bekleidete einige Jahre das Amt
eines Klavierlehrers am Sternschen Konservatorium in Berlin.
Nach Wagners politischer Amnestierung folgte Bülow erneut dem
Freund nach München, wo er die Uraufführungen der Opern ‚Tristan und Isolde' (1865) und ‚Die Meistersinger von Nürnberg'
(1868) dirigierte. Sein bewegtes Leben führte ihn schließlich über
die Stellung als Hofkapellmeister in Hannover nach Meiningen. In
den fünf Jahren (von 1880 bis 1885) seines dortigen Wirkens machte er die Hofkapelle zu einem Musterorchester. Auf ausgedehnten
Reisen stellte es vor allem die Musik von Johannes Brahms vor, als
dessen ,,allergetreuester Taktstecken" er sich empfand. Den An-
strengungen des Reiselebens nicht mehr gewachsen, suchte er Ge-
nesung in Ägypten, starb jedoch in Kairo am 12. Februar 1894.
Seine zweite Gattin gab den gesamten literarischen Nachlaß im
Druck heraus, durch den Bülow auch als temperamentvoller, heftig polemisierender Schriftsteller in die Musikgeschichte einging. –
Bülow wurde von namhaften Porträtisten, darunter Franz von
Lenbach, gemalt und modelliert. Hier sei das von Adolf von Hil-
debrand gefertigte Gipsmedaillon vorgestellt, das den alternden
Dirigenten wiedergibt (München, Bayerische Staatsgemälde-
sammlungen, Inv. Nr. B 530, 38 × 38 × 6 cm).

Josef Joachim

Als nebenstehende Radierung 1905 von Ferdinand Schmutzer (1870–1928) angefertigt wurde, war Josef Joachim, Primarius des nach ihm benannten Quartetts (mit den Herren Karl Halir, zweite Violine, Emanuel Wirt, Viola, und Robert Hausmann, Violoncello), bereits vierundsiebzig Jahre alt. Das Blatt, das mit 122,7 cm Breite und 88,4 cm Höhe zu den größten in dieser Technik gehört, zeigt dieses Quartett, das als das weitaus profilierteste seiner Zeit galt (Wien, Österreichische Nationalbibliothek). Joachim wurde am 28. Juni 1831 in Köpcsény (Kittsee) bei Bratislava geboren und erhielt nach der Übersiedlung der Familie nach Pest eine sorgfältige geigerische Ausbildung zunächst bei Stanislaus Serwaczynski, der den achtjährigen Wunderknaben als „zweiten Vieuxtemps, Paganini, Ole Bull" auf die Bühne stellte. Um ihm eine noch gründlichere Ausbildung angedeihen zu lassen, wurde er nach Wien geschickt, wo er bei Georg Hellmesberger dem Älteren studierte. Die daran anschließenden Konzertreisen, etwa seine erste spektakuläre Englandtournee 1844, seit der er als der tonangebende Interpret des Beethovenschen Violinkonzerts op. 61 galt, ließen ihn frühzeitig in die maßgeblichen Kreise der Musizierszene wachsen. Nach seiner Übersiedlung nach Leipzig entwickelte sich zwischen Johannes Brahms und ihm eine fruchtbare Künstlergemeinschaft, der bedeutende Werke der Violinkonzertliteratur und Kammermusik zu verdanken sind. Joachim, der von 1866 bis zu seinem Tode am 15. August 1907 die Leitung der neugegründeten ‚Lehranstalt für Ausübende Tonkunst' in Berlin innehatte, prägte dieses Institut durch eigene Konzertveranstaltungen, etwa mit seiner Quartettvereinigung. „Es gibt einen Grad der Technik, der zu Geist, weil zur Vollkommenheit wird", mit dieser Devise, die er 1854 im Gedenkbuch für Johannes Brahms niedergeschrieben hat, etablierte er sich als ein Musiker, der über die damals gewohnte Vortragsart der virtuosen Mode- und Salonstücke hinaus ein hohes Ethos vom Dienst am Kunstwerk entwickelte, als dessen Sachwalter der Künstler Verantwortung trage. Er gehörte zu den ersten Interpreten der Violinmusik Johann Sebastian Bachs. Seine eigenen Kompositionen sind – über die berühmten Kadenzen etwa zu Beethovens Violinkonzert hinaus – kaum noch geläufig, wiewohl die von ihm verfaßten Lehrwerke immer noch geschätzt werden.

Johannes Brahms

,,Er trug im Äußeren alle Anzeichen mit sich, die uns ankündigen: Das ist ein Berufener", so schrieb 1853 Robert Schumann, nachdem er seinen späteren und letzten Freund Johannes Brahms kennengelernt hatte. Am 7. Mai 1833 in Hamburg geboren und am 3. April 1897 in seiner Wahlheimat Wien gestorben, gehört Brahms zu jenen Komponisten, die aus ärmsten Verhältnissen stammten. Es gelang ihm, sich aus dem Milieu der Hamburger Matrosenkneipen zu befreien, in denen er die ersten musikalischen Erfahrungen als Unterhaltungsmusiker erwerben mußte. Josef Joachim, der um 1850 schon als Virtuose gefeiert wurde, nahm auf Brahms' dornenreichem Weg in die Öffentlichkeit einen wichtigen Platz als Freund ein. Von 1857 an bekleidete er das Amt des Hofmusikdirektors und fürstlich lippischen Klavierlehrers in Detmold. Enttäuscht, daß man ihn in Hamburg bei der Wahl des Leiters der Singakademie wie des Philharmonischen Orchesters übergangen hatte, wechselte Brahms 1862 als Dirigent der Singakademie nach Wien über. Hier fand er eine verständige Mitwelt, wiewohl er sich den Auseinandersetzungen für und wider Wagner nicht entziehen konnte. Er, dem Künstlerdemagogie fernlag, zog sich in die unbestechliche Selbstkritik zurück. Die Tragweite seiner dem ‚Neudeutschen' abgewandten Musik wurde erst nach der von Hans von Bülow 1868 geleiteten Uraufführung des ‚Deutschen Requiems' op. 45 vollends erkannt. Brahms legte in diesem Werk in spätidealistischer Weltfrömmigkeit ein Bekenntnis ab, das über die Konfessionen hinaus wirken sollte. Seit 1875 von allen öffentlichen Stellungen unabhängig, konnte Brahms bis zu seinem Tode ein sorgenfreies Leben als freier Künstler führen. – Brahms, der selbstdarstellerische Eitelkeiten ablehnte, ließ sich zumeist in Begleitung anderer Musiker photographieren. Auch wenn er die späten Kontakte zu Max Klinger, dessen 1894 entstandener Zyklus ‚Brahms Phantasie op. 12' mit 41 Blättern ihn mit dem Maler zusammengebracht hatte, oder Adolph Menzel nicht für Porträtaufträge nutzte, hatte er eine ausgeprägte Meinung von den bildenden Künsten. Die hier gewählte Medaille gehört zu den wenigen nach dem Leben hergestellten Bildnissen von Brahms. Sie wurde nach einer Sitzung auf Anregung der Gesellschaft der Musikfreunde in Wien von dem Bildhauer Anton Scharff zu Brahms' sechzigstem Geburtstag geprägt (Wien, Gesellschaft der Musikfreunde).

Alexander Borodin

Zum Komponieren nur neben seiner wissenschaftlichen Tätigkeit
als Chemiker und Mediziner bereit, war Alexander Porfir'yevich
Borodin derjenige unter den fünf Innovatoren des russischen
,,Mächtigen Häufleins", der sich hauptsächlich von der patrioti-
schen Bewegung leiten ließ. Am 30. Oktober (12. November)
1833 in Sankt Petersburg geboren und dort unerwartet am
15. (27.) Februar 1887 gestorben, war er der illegitime Sohn des
Fürsten Luka Stepanovich Gedianow. Seine hochgebildete Mutter
ließ ihn Medizin und Chemie in Petersburg sowie in Heidelberg
studieren. In der Zeit zwischen seiner Promotion (1858) und der
Ernennung zum Professor (1864) an der Medico-chirurgischen
Klinik in Sankt Petersburg unternahm er eine ausgedehnte Stu-
dienreise durch Italien, die Schweiz und Deutschland. Nebenher
hatte er bereits viel komponiert. Entscheidend für ihn wurde jedoch die Begegnung mit Milij Balakirew, der Borodin nach dessen
Rückkehr aus Italien unterrichtete. Unter seiner Anleitung entstand seine erste Sinfonie in Es-Dur, in welcher er sich bereits in
Gegensatz zu den ,,Mächtigen Fünf" begab, indem er sich von der
Programmatik der Musik, wie sie durch diese proklamiert wurde,
distanzierte. Auf Grund seiner Erfahrungen außerhalb Rußlands
konnte Borodin der These vom Naturalismus in der Musik nicht
folgen und zog sich bald resignierend aus dem aktiven Musikleben
zurück. Sehr langsam schrieb er seine Orchesterwerke, Kammermusik sowie die von Alexander Glasunow und Nicolai Rimsky-
Korssakow vollendete Oper ‚Fürst Igor'. Das Textbuch verfaßte
er nach dem in den Jahren 1185 bis 1187 geschriebenen ‚Igorlied'
und setzte es in eine Musik um, die sich von wortgetreuer Deklamation entfernte. Das Werk, das erst drei Jahre nach dem Tod
Borodins in Sankt Petersburg uraufgeführt wurde, folgt der in den
drei Sinfonien entwickelten epischen Schilderung, deren vitaler
Schwerpunkt die Polowetzer Tänze sind. Bekenntnishaft national
geprägt und von volksliedhafter Melodik bestimmt, ist seine sinfonische Dichtung ‚Steppenskizze aus Mittelasien'. – Ilja Repin gilt
als der bedeutendste realistische Maler Rußlands im 19. Jahrhundert; neben einer großen Zahl von Bildern aus dem russischen
Volksleben porträtierte er die geehrten Persönlichkeiten seines
Landes. Er malte Borodin an eine Säule gelehnt als gepflegte groß-
bürgerliche Erscheinung (Moskau, Tretjakow-Galerie).

Camille Saint-Saëns

Der weitgereiste Charles Camille Saint-Saëns gehört zu den wichtigsten französischen Musikern des 19. Jahrhunderts. Am 9. Oktober 1835 in Paris geboren, hatte er sich zwar einige Jahre am *Conservatoire* zum Organisten ausbilden lassen, ging in den Folgejahren jedoch eigene Wege. Probleme privater Natur veranlaßten ihn, ausgedehnte Reisen zu unternehmen, die ihn im Verlauf seines langen Lebens in den Fernen Osten, auf die Kanarischen Inseln, an den Indischen Ozean, später nach Amerika (1915) führten. Bei diesem Nomadenleben sammelte er Eindrücke und brachte erstmals Exotismen und Anklänge an fremdländische Volksmusik in die Musik ein, die im wesentlichen jedoch neoklassizistische Züge trägt. Kompositionen wie die Phantasie *‚Africa'* op. 89 (1891) für Klavier und Orchester, *‚Caprice arabe'* op. 96 (1894) für zwei Klaviere oder sein Klavierstück *‚Souvenir d'Ismaïlia'* op. 99 und 109 übten eine große Anziehungskraft auf die Folgegeneration aus, vor allem die Impressionisten, von denen sich der Komponist jedoch distanzierte. Zeitweilig waren die Werke von Saint-Saëns durch die Vermittlung von Franz Liszt in Deutschland populärer als in seinem Heimatland. So wurde sein Hauptwerk, die dreiaktige Oper *‚Samson et Dalila'* 1877 in Weimar uraufgeführt. Erst viele Jahre später hielt sie im Pariser Opernhaus Einzug. Dieser Oper, die unter starker Beteiligung des Chors oratorischen Charakter hat, schlossen sich weitere Bühnenwerke an, unter ihnen die Auftragskomposition *‚Henri VIII'* (1883), die die erste Vertonung eines englischen Stoffs auf französischer Bühne ist und starke Beachtung fand. Seine kritische Haltung Richard Wagner gegenüber hatte ihn gemeinsam mit César Franck dazu bewogen, 1871 die *‚Société nationale de musique'* zu gründen, die die Erneuerung der Musik in Frankreich zum Ziel hatte. Saint-Saëns' langes Leben endete auf einer Reise in Algier am 16. Dezember 1921. – 1892 hatte er vor seiner Einschiffung auf die Kanarischen Inseln sein Mobiliar samt einer Reihe persönlicher Andenken der Stadt Dieppe vermacht und damit den Grundstein zu einem Museum gelegt, das seinen Namen trägt. Neben der geläufigen karikaturistischen Zeichnung seines Freundes Gabriel Fauré sind vor allem Fotos bekannt, die den gesetzten Musiker zeigen. Für die Sammlung *‚Portraits Contemporains'* der *‚Revue Illustrée'* ist er von Paul Renouard als lässiger Weltreisender gezeichnet worden (Paris, Bibliothèque Nationale).

Henryk Wieniawski

Die Konzertprogramme des bürgerlichen Konzertbetriebs im 19. Jahrhundert wurden zum Teil von Kindern bestritten, die zu den stets bestaunten Attraktionen gehörten. Von Konzertunternehmungen wurden Abbilder von Wunderkindern in Auftrag gegeben und werbewirksam an das Publikum verteilt. Von Thomas Mann 1903 trefflich in seiner Erzählung ‚Das Wunderkind' geschildert, waren sie nicht nur ein „reizender Anblick" (‚Illustrierte Zeitung', Leipzig), sondern spiegelten die Welt der Erwachsenen in Kleinformat wider. Henryk Wieniawski und sein um zwei Jahre jüngerer Bruder waren musizierende Wunderkinder, die sich als Acht- und Sechsjährige die Zulassung zum Pariser *Conservatoire* erspielen konnten. Henryk wurde am 10. Juli 1835 in Lublin geboren. Seine ungewöhnliche geigerische Begabung wurde vor allem in Paris gefördert. Auf seinen zahlreichen, von dort aus unternommenen Reisen wurde er nahezu mit allen bedeutenden Virtuosen seiner Zeit bekannt, war Partner von Heinrich Wilhelm Ernst, Josef Joachim und Anton Rubinstein, mit dem er auf der Reise durch die USA (1872 bis 1874) denkwürdige Triumphe feierte. Lehrend war er an vielen bedeutenden Instituten tätig, 1862 bis 1867 als Professor am Petersburger Konservatorium und 1874 bis 1877 in der gleichen Funktion am Konservatorium in Brüssel. In den Jahren seiner Lehrtätigkeit setzte sich rasch seine neue Staccato-Technik als Norm durch, die heute noch gefordert wird und die junge Geiger bei dem 1935 ins Leben gerufenen Wieniawski-Wettbewerb vor einer internationalen Jury in Poznan unter Beweis stellen können. Wieniawskis kompositorisches Schaffen, das durch seine eigene Interpretation sehr populär wurde, stellt in den Violinkonzerten fis-Moll op. 14 und d-Moll op. 22 höchste technische Ansprüche. Schwer herzleidend, starb der Virtuose verarmt am 12. April (1. Mai) 1880 in Moskau. Die Kunstmäzenin Nadjashda von Meck, die auch Peter Iljitsch Tschaikowski unterstützte, hatte den Kranken in ihrem Haus aufgenommen und bis zu seinem Tode gepflegt. – Wieniawski ist wie alle seine umjubelten Virtuosenkollegen vielfach abkonterfeit worden. An dieser Stelle sei ein Doppelbildnis vorgestellt, das ihn mit seinem klavierspielenden Bruder 1851 als Wunderkinderpaar wiedergibt (aus: ‚Die Musik' IV, Heft 13, 1904/1905).

Léo Delibes

Der am 21. Februar 1836 in Saint-Germain-du-Val (Sarthe) geborene und am 16. Januar 1891 gestorbene Clément Philibert Léo Delibes gehört neben Adolphe Adam zu den bekanntesten Ballettkomponisten der zweiten Hälfte des 19. Jahrhunderts. Um die Mitte des Jahrhunderts war das klassische Ballett in Frankreich bereits zu einer akademischen Kunstform geworden, der sich nicht nur zweitrangige Komponisten zuwandten. Adolphe Adam hatte 1841 sein Erfolgsballett ‚Giselle‘ herausgebracht, das noch heute zum Repertoire von Ballettensembles gehört. Er wurde der Lehrer von Delibes, der 1848 Schüler des Pariser *Conservatoire* geworden war. Mit einigen komischen Opern und Operetten, die in den Theatern *Folies Nouvelles, Bouffes-Parisiens* und am *Théâtre Lyrique* herauskamen, begann sein selbständiges Schaffen, das ihn als Talent für heitere, grazile Stoffe auswies. Er avancierte 1865 zum zweiten Chordirektor der *Grand Opéra* und brachte 1866 gemeinsam mit dem russischen Ballettkomponisten Ludwig Minkus sein erstes Ballett ‚La source‘ (‚Naila, die Quellenfee‘) heraus. 1870 folgte sein bestes Werk ‚Coppélia ou la fille aux yeux d'émail‘. Dieses abendfüllende Werk nach Motiven der Erzählung ‚Dr. Coppelius‘ von Ernst Theodor Amadeus Hoffmann verschaffte dem Komponisten ebenso wie das sechs Jahre später entstandene Elfenballett ‚Sylvia ou la nymphe de Diane‘ Weltgeltung. Finanziell unabhängig geworden, konnte er 1872 die Stellung an der *Grand Opéra* aufgeben. 1881 berief man ihn zum Kompositionsprofessor an das *Conservatoire*. Mit der komischen Oper ‚Lakmé‘, die 1883 uraufgeführt wurde, erlebte Delibes einen letzten großen Erfolg. Seine Opern und Operetten jedoch vermochten sich nicht nachhaltig durchzusetzen, so daß heute an den Namen Delibes das Verdienst geknüpft ist, das Ballett als Drama ohne Text tonangebend gefördert zu haben. Aus der Belanglosigkeit ausschließlicher Dekorationsmusik versuchte er herauszufinden, um die Grundlage für ein pantomimisches Ballett zu schaffen, in dem auch dramatische Elemente eingesetzt wurden, die man vordem vermied. – Nebenstehende Federzeichnung von Ede Liphart weist photographische Merkmale auf und zeigt den Musiker gelassen und heiter (Paris, Bibliothèque Nationale).

Georges Bizet

Die Lebensgeschichte von Georges Alexandre César Léopold Bizet, des Komponisten einer der heute meistgespielten Opern der Welt, ‚Carmen‘, erstaunt durch die darin zutage tretende hoffnungsvoll früh einsetzende Karriere. Am 25. Oktober 1838 in Paris geboren, wurde er als Neunjähriger bereits Schüler des *Conservatoire*. Während seines erfolgreichen Studiums bei den späteren Freunden Charles Gounod und Ludovic Halévy erwarb er mehrere begehrte Preise, etwa bei der von Jacques Offenbach ausgeschriebenen Konkurrenz, aus der er mit seiner Operette *,Le Docteur Miracle‘* als Sieger hervorging. Der sorglos und uneingeschränkt glücklich verbrachten Zeit in Italien, die er als Rom-Preisträger nutzte, um heute nicht mehr geläufige dramatische wie sinfonische Kompositionen zu schaffen, folgte für Bizet ab 1860 eine Phase des anhaltenden Unverstandenseins. Sowohl seine große Oper *,Les pêcheurs de perles‘* (‚Die Perlenfischer‘), im *Théâtre Lyrique* 1863 herausgebracht, als auch *,La jolie fille de Perth‘* (‚Das schöne Mädchen von Perth‘), 1867, erlebten nur eine kurze Spieldauer, so daß Bizet seinen Lebensunterhalt durch Arrangements und privaten Musikunterricht verdienen mußte. Seine Musik zu Alphonse Daudets *,L'Arlésienne‘*, als Suite bearbeitet heute noch viel gespielt, kam seinerzeit nur auf einige erfolgreiche Aufführungen. Selbst die mit Spannung erwartete Uraufführung seiner Oper ‚Carmen‘, damals noch eine Dialogoper, stieß auf ein kühles Publikum. Den Erfolg, der diesem Werk erst ein halbes Jahr nach der Uraufführung zuteil werden sollte, erlebte Bizet nicht mehr. Er starb drei Monate nach der Uraufführung am 3. Juni 1875 in Bougival bei Paris. Die bearbeitete Fassung dieses durch ihr veristisches Sujet nahezu revolutionären Werks erfuhr in Wien vielbeachtete Aufführungen und wurde durch ihr spanisches Kolorit zum Inbegriff der ,,Musik des Südens" (Friedrich Nietzsche). Bizets Werk umfaßt auch Lieder, einige Klavierkompositionen, Duette, Chöre, Sinfonien, die in Gänze nur zögernd aufgenommen werden, so daß sein Name vornehmlich an seine ‚Carmen‘ gebunden ist. – Die sehr persönliche Skizze seines Reisegefährten und Malerfreundes Gaston Planté, die auf dem Weg durch die Provence 1860 entstand, ist eines der vielen Porträts des Musikers, der sich als Interessent von Literatur und Malerei gern mit Künstlern anderer Fächer umgab (Paris, Bibliothèque Nationale, Inv.Nr. B 3948).

Georges Diaet
revenant de l'Ecole Française de Rome
en Septembre 1860;
(croquis fait en wagon de Chambéry à Ambérieu
par Gaston Stanley

Modest Mussorgskij

Im März 1881 entstand das bedeutendste der Porträts, die Ilja Repin (1844–1930) von großen russischen Persönlichkeiten angefertigt hat (Moskau, Tretjakow-Galerie). Der darauf dargestellte Komponist, Modest Petrowitsch Mussorgskij, der am 9. (21.) März 1839 in Karewo im Gouvernement Pskow geboren worden war, starb wenige Tage nach der Vollendung des Gemäldes am 16. (28.) März 1881 in Sankt Petersburg. Dessen trostloses Ende beschrieb der Maler in seinen Erinnerungen: ,,Wie oft fand Stassow ... seinen Freund erst nach langem Suchen in irgendeiner Kneipe, in Lumpen gehüllt, aufgedunsen von Alkohol;" er hält den urwüchsigen, einer sonst üblichen akademischen Laufbahn aus dem Wege gehenden, tragischen Mann photographisch genau fest. Mussorgskij war der radikalste Vertreter der neurussischen Schule, der ,,kein gedüngtes Land beackern will, ... sondern ... nach Neuland lechzt". Einer wohlhabenden Familie entstammend, bildete er sich mit Hilfe der Freunde Alexander Borodin und Milij Balakirew in den Jahren 1857 bis 1862 aus, nahm seinen Abschied als Gardeoffizier der zaristischen Armee und widmete sich, gestützt auf das damals noch erhaltene elterliche Vermögen, ganz der Musik. Als diese Quelle jedoch versiegte, mußte er die Beamtenlaufbahn wiederergreifen. Er komponierte fortwährend, alle musikalische Konvention hinter sich lassend, an Liedern und verschiedenen Opernstoffen. In einer Zeit, in der man für die Musik, wie sie vom sogenannten ,,Mächtigen Häuflein" der gleichgesinnten Fünf entwickelt wurde, wenig Verständnis aufbrachte, fand er künstlerische Anerkennung erst durch sein musikalisches Volksdrama ,Boris Godunow' nach Alexander Puschkin. Nachdem er das Interesse an der Fertigstellung seiner Oper ,Schenitba' (,Die Heirat') verloren hatte, gelang ihm nach mehrmaliger Bearbeitung des ,Boris' 1874 eine Fassung, die namentlich die junge Generation zu Jubelrufen ermunterte. Mussorgskij hatte die Deutung der Wirklichkeit mit genrehaft programmatischen wie dramatischen Mitteln gesucht. Seine ,,dilettantischen, aber immer existentiellen" (Fedor Stepun) Werke, seine Klavierwerke, etwa die ,Bilder einer Ausstellung', sein Orchesterscherzo ,Eine Nacht auf dem Kahlen Berge' (1867) oder seine Klavierlieder, wurden zu Lebzeiten des Musikers nur zögernd aufgenommen, so daß Mussorgskij, aus der Beamtung entlassen, in tiefe Resignation und Armut fiel.

Peter Tschaikowski

Der von zahlreichen inneren Krisen heimgesuchte Pjotr Iljitsch
Tschaikowski gehörte zu den einflußreichsten Komponisten Rußlands der zweiten Hälfte des 19. Jahrhunderts. Sein Herzens-
wunsch, ,,daß sich meine Musik verbreitet und die Zahl der Menschen zunimmt, die sie lieben und in ihr Trost und Halt finden'',
ist ihm schon zu Lebzeiten in Erfüllung gegangen, wiewohl er ein
von Tragik erfülltes Leben führte, das am 25. Oktober (6. November) 1893 in Petersburg infolge einer Choleraerkrankung endete.
Er war am 25. April (7. Mai) 1840 in Wotkinsk im Ural geboren
worden und wurde einer der ersten Schüler am Konservatorium in
Sankt Petersburg. Zuvor besuchte er die Rechtsschule, um einem
Wunsch der Eltern zu folgen, und trat die Laufbahn als Justizbeam-
ter an. 1863 verließ er den Staatsdienst, um sich ganz seinen musikalischen Studien zu widmen. 1866 trat er eine Stelle am Konservatorium in Moskau an, das kurz zuvor als Zweigstelle des Petersburger Instituts von Nikolai Rubinstein gegründet worden war.
Tschaikowski lehrte dort elf Jahre lang. In dieser Zeit entstanden
wichtige Werke, in denen sich nach und nach sein Personalstil
ausprägte, etwa die Oper ‚Wojewoda‘ (‚Der Wojewode‘) op. 3,
(1868), die Orchesterphantasie ‚Romeo und Julia‘ (1869), das erste
Klavierkonzert in b-Moll op. 23 (1875) sowie Streichquartette.
Geschwächt von den Strapazen seiner Kompositionstätigkeit, unternahm er eine Reise nach Vichy und besuchte in Bayreuth die
ersten Wagner-Festspiele, über die er ausführlich in der Moskauer
Zeitung berichtete. Von 1877 an gewährte ihm in einer unge-
wöhnlichen Freundschaft die vermögende Witwe Nadjashda von
Meck über dreizehn Jahre finanzielle Unabhängigkeit, so daß er
seine Lehrtätigkeit aufgeben konnte. Die Mäzenin pflegte mit
Tschaikowski einen intensiven Briefwechsel, der auf den labilen
Komponisten stabilisierend wirkte und ihm die Möglichkeit eröffnete, in seiner fortschreitenden Depression einen verständigen,
wenngleich in Distanz bleibenden Partner zu finden. Seit Beginn
der achtziger Jahre fanden seine Werke lebhaften Widerhall in Europa und Amerika. Heute gehören besonders seine drei großen
Ballette, seine Sinfonien und Opern zum ständigen Repertoire aller
Opernhäuser und Orchester. – Nebenstehendes Ölporträt von Nikolaj Kusnezoff entstand im Todesjahr des Komponisten, 1893
(Moskau, Tretjakow-Galerie).

Antonín Dvořák

Antonín Leopold Dvořák nimmt unter den Musikern, die sich in
der zweiten Hälfte des 19. Jahrhunderts nach Bedřich Smetana um
die Profilierung der tschechischen nationalen Kunstmusik bemüht
haben, einen führenden Platz ein. Er wurde am 8. September 1841
als eines unter acht Kindern in Nehalozeves (Mühlhausen) bei Kra-
lup in Böhmen geboren und konnte sich nur mit Mühe der Absicht
seines Vaters entziehen, der ihn zum Erben seiner Gastwirtschaft
machen wollte. In Prag begann er 1857 das Musikstudium und
verdiente sich bis zum Zeitpunkt erster Erfolge und zunehmender
Bekanntheit seinen Lebensunterhalt als Mitglied in der Tanzkapel-
le Karl Kamzák, später als Bratschist an der tschechischen Oper.
Nach der erfolgreichen Aufführung jedoch seines Hymnus ‚Die
Erben des Weißen Berges' (op. 30, 1872) für Chor und Orchester,
der der kulturellen und politischen Situation entsprach, gelang ihm
nicht nur der Durchbruch in der Öffentlichkeit, er wurde auch
wirtschaftlich unabhängig und begann eine ausgedehnte Reisetätigkeit, die ihn nach England und als einen der ersten tschechischen
Komponisten in die USA führte. Für sein Werk empfing Dvořák
entscheidende Impulse durch das Schaffen von Smetana und des
ihm befreundeten Johannes Brahms. Seine zum Teil schwermütig
balladesken sinfonischen wie kammermusikalischen Werke sind
heute in allen Konzertsälen präsent. In ihnen beruft er sich nicht
allein auf Böhmen und Mähren, deren Volksmusik ihm ein natio-
nales Anliegen war, sondern darüber hinaus auf die umgreifendere
Richtung des ‚Panslavismus', der vordem in der Kunstmusik kein
Thema war (‚Slavische Rhapsodien' op. 45, ‚Slavische Tänze'
op. 46). Vor allem seine Auslandsaufenthalte, besonders die Tätigkeit als Leiter des *National Conservatory of Music* in New York
zwischen 1892 und 1895, beflügelten ihn zu Hauptwerken seiner
Zeit, etwa der Neunten Sinfonie, op. 95, ‚Aus der Neuen Welt',
und dem Streichquintett Es–Dur op. 97 (beide 1893). In zehn
Opern versuchte Dvořák auch seine ,,Neigung zum dramatischen
Schaffen" zu beweisen, was ihm nachhaltig nur mit seinem lyri-
schen Märchen ‚Rusalka' (1901) gelingen sollte. Kurz nach der
Premiere der letzten Oper ‚Armida' starb er am 1. Mai 1904. – Die
hier wiedergegebene Photographie zeigt ihn als behäbigen Mann
(Wien, Österreichische Nationalbibliothek).

Filipe Pedrell

Vor dem Hintergrund der in Spanien seit der Hochblüte im 16. und 17. Jahrhundert geschwundenen Bedeutung der Musikkultur für das höfische Leben ganz Europas bildet die Leistung des Filipe Pedrell einen Neubeginn. Am 19. Februar 1841 in Tortosa geboren, war er in der Ausbildung zum Musiker nahezu sich selbst überlassen. Nach ersten Erfolgen konnte er als Stipendiat der *Diputaciones Provinciales* von Tarragona und Gerona nach Rom reisen, von wo er nach Paris ging, um 1882 mit der Herausgabe der Publikationsreihe *,Salterio Sacro-Hispano'* und der Zeitschrift *,Notas Musicales y Literarias'* zu beginnen, die in Barcelona ab 1882 regelmäßig erschien. Diesem Wochenblatt schloß sich 1888 eine weitere, *,Ilustración Musical Hispano-Americana'*, an. Waren im *,Salterio'* hauptsächlich zeitgenössische geistliche Kompositionen veröffentlicht worden, so konnte er in den anderen Organen seine eigenen musikalischen Werke vorstellen, überwiegend der französischen *opéra comique* nahestehende *,Zarzuelas'*, eine typisch spanische Gattung. Sein Hauptinteresse indes bestand darin, die moderne Musikwissenschaft in Spanien zu etablieren, die spanische Volksmusiktradition zu studieren und sie in Sammlungen vorzulegen, die noch heute einen unentbehrlichen Quellenwert besitzen. Damit legte Pedrell den Grundstein zu einem neuen spanischen Nationalbewußtsein, das durch politische Wirren stark verunsichert worden war. Spaniens Musik war seit der Mitte des Jahrhunderts klischeehaft in verflachenden Folklorismen als exotisches Kolorit (etwa von Georges Bizet) benutzt worden. Modelle dazu hatten Francisco de Borja Tapia, Fernando Sor oder der Autor des Liedes *,La Paloma'*, Sebastián de Iradier, geliefert. Lange Jahre unterrichtete Pedrell als Professor am Konservatorium in Madrid, folgte jedoch 1904 einem Ruf als künstlerischer Leiter des Verlags Vidal y Llimano. Als Lehrer prägte er die gesamte ihm nachfolgende Generation, zu der Manuel de Falla, Isaac Albéniz, der Musikhistoriker Higino Anglés oder auch Enrique Granados gehören. Pedrell starb in Barcelona am 19. August 1922. Bereits zu seinem siebzigsten Geburtstag hatte ihn die Chorgemeinschaft seiner Heimatstadt durch eine Festschrift geehrt, *,Escritos heortásticos'*, in der ein Werkverzeichnis veröffentlicht wurde. – Nebenstehendes Foto zeigt den strengen Wissenschaftler Pedrell (Foto Bärenreiter Archiv, Kassel).

Arthur Sullivan

Hatte Jacques Offenbach in Paris mit seinen brisanten Buffo-Opern für Schlagzeilen gesorgt, so entstand in der Ära der *Gilbert and Sullivan-Company* das englische Äquivalent. Arthur Seymour Sullivan, der Komponist dieser sogenannten *‚Savoy-operas‘*, gehörte zur ersten eigenständigen Künstlergeneration in England. Er wurde als Sohn eines Militärkapellmeisters am 13. Mai 1842 in Lambeth bei London geboren und war Schüler der 1823 gegründeten *Royal Academy of Music*. Er zählte zu den ersten, die als Stipendiaten nach Leipzig geschickt wurden, um von Ignaz Moscheles und Felix Mendelssohn Bartholdy unterwiesen zu werden. Nach seiner Rückkehr konnte er von seinen Einkünften als Dirigent und Komponist leben, was in England ein Novum war. Ungewollt gelang es Sullivan gemeinsam mit dem wortgewandten Humoristen William Schwenck Gilbert, an die Tradition der englischen komischen Oper anzuknüpfen und ihr neue Impulse zu geben. Nach dem großen Erfolg des Einakters *‚Cox and Box‘* (1867) beschlossen beide, unter dem Impresario Richard D'Oyly zusammenzuarbeiten; sie bestimmten für zwanzig Jahre die Szenerie am Savoy-Theater. Es entstanden 14 von Humor und Spott bestimmte, elegant servierte Operetten, darunter *‚The Mikado‘* (1885), die auch in Deutschland aufgeführt wurde, *‚The Pirates of Penzance‘* (1879), *‚Iolanthe‘* (1882) oder *‚The Yeomen of the Guard‘* (1888). Diese Erfolgsstücke brachten den beiden Künstlern ein beträchtliches Vermögen ein. Königin Viktoria, obwohl nicht selten Gegenstand zeitkritischer satirischer Texte, war begeistert von diesen Werken und erhob den Komponisten 1883 in den persönlichen Adelsstand. Sullivan, der als Komponist von Oratorien, Sinfonien, Balletten und Ouvertüren begonnen hatte, von 1876 bis 1881 Direktor der *National Training School for Music,* dem späteren *Royal College of Music,* war, ist heute nur mehr in Verbindung mit dem Namen Gilbert bekannt. Er starb am 22. November 1900 in London. – John Everett Millais ist der Maler des nebenstehenden, 1888 entstandenen Gemäldes. Den Witz, den Sullivan auf die Bühne zu zaubern verstand, verbergend, wird der englische Sir mit Monokel und steifem Kragen festgehalten. Das Gemälde befindet sich in der alle englischen Größen vereinigenden ständigen Ausstellung der National Portrait Gallery in London (Inv. Nr. 1325).

Edvard Grieg

Das nebenstehende Gemälde, das den am 15. Juni 1843 in Bergen
geborenen Edvard Hagerup Grieg gemeinsam mit seiner Frau Ni-
na zeigt, die eine meisterliche Interpretin seiner Lieder war, ist im
Dezember 1898 von dem dänischen Maler-Bildhauer Peter Severin
Krøyer gemalt worden (Stockholm, Nationalmuseum, Inv.
Nr. NM 1571, Öl auf Holz, 58,5 × 73 cm). Es ist dies nicht das
einzige Aktionsbild, das den Komponisten in seinem Landhaus zu
Troldhaugen bei Bergen zeigt. Er hatte dieses Haus nahe dem
Stardanger Fjord erst 1885 erwerben können und darin das ersehnte Heim gefunden, in dem er am 4. September 1907 starb. Grieg
war dem Rat des Geigers Ole Bull gefolgt und hatte kurze Zeit in
Leipzig studiert. Enttäuscht brach er jedoch seine Studien bald ab,
um seine eigenen Wege zu gehen. Nach Reisen und Studien ließ er
sich zunächst als Pianist in Kopenhagen nieder und widmete seit
der Begegnung mit Rikard Nordraak sein Hauptinteresse der Förderung einer nationalen Musikkultur. Gemeinsam mit dem Dänen
Christian Hornemann und Johann Gottfried Matthison-Hansen
gründete er 1865 eine Konzertgesellschaft ‚Euterpe‘, die der Reali-
sierung von vornehmlich skandinavischer Musik dienen sollte.
,,Wir verschworen uns gegen den durch Mendelssohn verweich-
lichten Skandinavismus und schlugen mit Begeisterung den neuen
Weg ein, auf welchem sich noch heute die nordische Schule befindet", schrieb Grieg rückblickend. 1866 nach Norwegen übergesie-
delt, konnte er 1867 in Christiania eine Norwegische Akademie für
Musik gründen, die er, abgesehen von zahlreichen Konzertreisen,
bis zu seinem Tode betreute. Es ist ihm zwar nicht gelungen,
gemeinsam mit Björntyerne Björnson eine norwegische Oper zu
schaffen, wohl aber entstanden seit seinem frühen, noch der Leipziger Schule verpflichteten Klavierkonzert in a-Moll op. 16, das er
dort selbst 1868 uraufführte, populäre Werke, darunter die Bühnenmusik zu Henrik Ibsens Drama ‚Peer Gynt‘, op. 23 (1876), die
von ihm zu zwei Orchestersuiten bearbeitet wurde, und seine Suite
‚Fra Holbergs Tid‘ (1884) neben Tänzen und zahlreichen Liedern.
Er bearbeitete darin norwegische Volksmusik. Später wurde jene
Richtung von Béla Bartók weiterverfolgt. Griegs von der impressionistischen Harmonik nicht unbeeinflußt gebliebene Eigenart
zeigt sich stärker in subtilen kleinen Stücken als in großen Kompositionen.

Nikolai Rimski-Korsakow

Der ,,größte Baumeister" (Poljanowski) der neueren russischen Musik, Nikolai Andrejewitsch Rimski-Korsakow, sei auf der Gegenseite in einem französischen anonymen Holzschnitt vorgestellt, dem ein beziehungsvolles Sinngedicht beigegeben ist (Münster, Westfälisches Landesmuseum für Kunst und Kulturgeschichte, Porträtarchiv Diepenbroick). Ohne seine nationale Selbständigkeit als Russe zu verlieren, hatte er sich zu Beginn der siebziger Jahre einem strengen Studium unterworfen und sich der Richtung von Hector Berlioz mit programmatischer, tonmalerischer Musik angeschlossen. Er wurde am 6. (18.) März 1844 in Tichwin im Gouvernement Nowgorod geboren und ging zur Marine, als deren Mitglied er in den Jahren 1862 bis 1865 die Welt umsegelte. Auf dieser Reise vollendete er die erste Sinfonie in es-Moll, die erste russische Sinfonie überhaupt. Erst 1884 legte Korsakow sein Marineamt nieder, neben dem er seit 1871 als Professor am Petersburger Konservatorium für Komposition wirkte. Längst fühlte er sich als Zugehöriger des ,,Mächtigen Häufleins", eine Beziehung, die er später lockerte, weil er eigene Wege ging. Als Lehrer nahezu der gesamten ihm nachfolgenden Komponistengeneration – unter ihnen Anatol Ljadow, Alexander Glasunow, Ottorino Respighi, Igor Strawinsky und Sergej Prokofjew – war er ihr Vorbild, dessen fünfzehn Märchen- und Legendenopern viel Beachtung fanden und sich bis heute im Repertoire besonders der Sowjetunion gehalten haben. In die westliche Welt drang neben seiner dreiteiligen sinfonischen Suite ,Scheherezade' op. 35 nach einem Märchen aus ,Tausendundeiner Nacht' die Orchesterphantasie ,Sadko' oder die Ouvertüre ,Russische Ostern', während sein dramatisches Schaffen nach vorwiegend eigenen Texten hier kaum erfahrbar ist. Seiner Eigenart, Märchen und reale Menschenwelt in Verbindung zu bringen, entsprachen in den Opern ,Schneeflöckchen' (1882), ,Sadko' (1897), ,Die Sage von der unsichtbaren Stadt Kitesch und der Jungfrau Fewronia' (1907) oder ,Der goldene Hahn' (1909) phantasievoll bunte musikalische Schilderungen mit gelegentlichen Anklängen an Richard Wagner. Rimski-Korsakow starb am 8. (21.) Juni 1908 auf seinem Landgut Ljubensk bei Sankt Petersburg.

Rimsky Korsakow

Rimsky-Korsakow

S'il n'avait été marin ou compositeur, quel étonnant orfèvre aurait pu devenir ce Slave consciencieux et méticuleux, si habile à tailler, cliver, sertir et assembler des rubis, des émeraudes, des saphirs et des pierres de lune! D'autres auront usé leur vie à gratter la terre de leurs ongles pour la seule joie d'en extraire de l'or vierge ou des gemmes rares: ce joaillier, au contraire, ne dédaigna pas de composer des chefs-d'œuvre avec du cuivre et de la verroterie. Mais qui oserait tenir rigueur à un bijoutier de n'avoir pas la vocation d'un pêcheur de perles?

Hugo Riemann

Nebenstehende undatierte Autotypie zeigt den Musikwissenschaftler und Musiker Hugo Karl Wilhelm Julius Riemann, der in der Geschichte der Musikwissenschaft der zweiten Hälfte des 19. Jahrhunderts der bedeutendste Musikforscher war (Wien, Bildarchiv der Österreichischen Nationalbibliothek). Als rigoroser Verfechter und Theoretiker der tonalen Harmonik immer noch des ‚Logismus‘ bezichtigt, gehörte er jedoch zu den ersten Forschern, die im Zuge der Belebung empirischer, vorurteilsfreier Methodik systematische Studien betrieben. Er suchte aus der Berücksichtigung der gesamten Musikgeschichte Prinzipien für eine synthetische Stilgeschichte abzuleiten, unter der er die Deutung der Musik auf Grund von ,,Formen und Stilprinzipien" verstand und nicht mit Hilfe der bis dahin üblichen subjektiven Empfindung. Er gehört mithin der letzten Forschergeneration an, der es gelang, umfassende Darstellungen ihres Gegenstandes vorzulegen. Die vom Generalbaß bestimmte Analysemethode wurde durch die von ihm entwickelte tonale ‚Funktionstheorie‘ ersetzt, in der er die ,,natürliche Gesetzmäßigkeit der Harmoniefolgen" erkannt zu haben glaubte, die in der ,,polaren Gegensätzlichkeit der Dur- und Mollkonsonanz" bestand. Dieser Ansatz hat heute freilich genauso an umfassender Relevanz verloren wie seine These, alle Musik ließe sich auf achttaktige Phrasen reduzieren, eine These, die er selbst nach Studien an außereuropäischer Musik revidieren mußte. Riemann, der am 18. Juli 1849 in Großmehlra bei Sondershausen als Sohn eines Rittergutsbesitzers geboren worden war, ließ sich nach seiner Ausbildung zum Pianisten und Dirigenten in verschiedenen deutschen Städten nieder, bevor er 1895 nach Leipzig berufen wurde, in die Stadt, in der er nach der Habilitation (1878) wegen unerbittlicher Gegnerschaft kein Echo gefunden hatte. 1901 zum Professor ernannt, wurde er 1908 Direktor des Leipziger Musikwissenschaftlichen Instituts. Diesem gab er die Bezeichnung ‚Collegium Musicum‘ zum Zeichen seiner an der musikalischen Praxis orientierten Lehre. Seit 1882 gehört das von ihm verfaßte Musiklexikon zu den Standard-Lexika. Trotz zahlreicher Ehrungen blieb ihm in Leipzig die Stellung eines Ordinarius versagt. Er hatte gegen die anhaltenden Anfeindungen durch das Leipziger Konservatorium beständig angehen müssen und starb als international anerkannte Persönlichkeit am 10. Juli 1919.

Vincent d'Indy

Seit der Eröffnung der *Grand Opéra* in Paris im Jahre 1875 schmückt die Büste von Vincent Paul Marie Théodore d'Indy, die von Émile Bourdelle angefertigt worden ist, ihr Foyer. Nach einem erfolgreichen Leben war dieser am 2. Dezember 1931 in Paris gestorben. Am 27. März 1851 dort als Sohn künstlerisch überaus interessierter Eltern geboren, wurde er nach dem preußisch-französischen Krieg von 1870/1871, an dem er als Freiwilliger teilgenommen hatte, Schüler von César Franck. Stark von Richard Wagner beeindruckt, hielt er sich häufig in Deutschland auf, um den Aufführungen des ,Ring des Nibelungen' beiwohnen zu können. Nachdem er seit 1887 in den Konzerten des angesehensten Dirigenten von Paris, Charles Lamoureux, als Chordirigent engagiert worden war, studierte d'Indy die Chöre zur denkwürdigen ,Lohengrin'-Aufführung im Eden-Theater 1887 ein. Bedeutende Erfolge als Komponist hatte er damals bereits errungen. 1882 war die einaktige komische Oper *,Attendez-moi sous l'orme'* über die Bühne der *Opéra comique* gegangen, 1885 die dramatische Legende für Soli, Doppelchor und Orchester op. 8 *,Le chant de la cloche'* (nach Friedrich Schiller) mit dem Kompositionspreis der Stadt Paris ausgezeichnet worden. Nach dem Tode seines von ihm freundschaftlich verehrten Lehrers César Franck übernahm er 1890 den Vorsitz der *Société nationale de musique* und bekam von der Regierung den Auftrag, das *Conservatoire* zu reorganisieren, ein Vorhaben, das am Widerstand der Kollegen scheiterte. Die ihm angetragene Übernahme einer Professur an diesem Institut lehnte er ab. Statt dessen gründete er gemeinsam mit Charles Bordes 1896 eine *Schola Cantorum,* in der er einen eigenen Ausbildungsplan zu verwirklichen trachtete. Auf der Grundlage der Kirchenmusik und des katholischen Glaubens versuchte er eine Ästhetik der ,reinen Musik' zu verbreiten, eine Lehre vom instinktiven Charakter, der das Wesen von Kunst schlechthin ausmacht. Sein berühmt gewordener Ausspruch *,,L'art n'est pas un Métier . . .''* war das Motto bei der Eröffnung des Instituts. Er folgte mit dieser Anschauung seinem Lehrer Franck, der am Beginn der Erneuerung der französischen Kirchenmusik stand. D'Indy hinterließ nicht nur diese Schule, sondern auch ein reiches kompositorisches Œuvre und einige theoretische Werke. – Der Komponist sei hier in unbezeichneten Skizzen vorgestellt (Paris, Bibliothèque Nationale).

Engelbert Humperdinck

Ähnlich wie Wilhelm Kienzl steht der am 1. September 1854 in Siegburg geborene Engelbert Humperdinck zwischen Wagner-Epigonentum und Eigenständigkeit, die er zu festigen trachtete, indem er den hochromantischen Wagnerstil in die naiv anmutende Welt des Märchens übertrug. Seine Märchenoper ‚Hänsel und Gretel‘ (1893) führte in jene Welt des deutschen Volksmärchens, durch die seit der Mitte des Jahrhunderts auch Maler angezogen wurden. Deren mythische Verstrickungen boten ihnen wie den Musikern gleichfalls Anregungen für künstlerische Gestaltungen, seit die Gebrüder Jacob und Wilhelm Grimm 1812 bis 1822 ihre drei Bände umfassende Sammlung der deutschen Haus- und Kindermärchen herausgegeben hatten. Anstelle von Leitmotiven verwendete Humperdinck in seiner Märchenmusik oft Kinderlieder, die als Motivquelle für ganze Szenen dienen. Humperdinck schrieb das Erfolgsstück in den Jahren seiner Tätigkeit als Lehrer am Hochschen Konservatorium in Frankfurt, die er 1890 angetreten hatte. Zuvor war er Assistent bei Richard Wagner gewesen, der ihn mit der Kopie der Partitur des ‚Parsifal‘ betraut und ihm die musikalische Erziehung seines Sohnes Siegfried übertragen hatte. Danach für einige Jahre ans Konservatorium in Barcelona verpflichtet, war er zuletzt als Kompositionsprofessor und Leiter einer Meisterklasse für Komposition an der Königlichen Akademie der Künste in Berlin angestellt, wo er bis 1920 wirkte. Die meisten seiner Werke entstanden in Boppard am Rhein, wo er ein Landhaus erwerben konne, nachdem ihm der Erfolg materielle Sicherung gebracht hatte. Der Tod ereilte ihn am 27. September 1921 in Neustrelitz. Aus seinem umfangreichen Œuvre ist nur noch einiges wenige in Oper und Konzertsaal lebendig geblieben, vor allem die Oper ‚Hänsel und Gretel‘, während ‚Die sieben Geißlein‘, Märchenspiel mit Klavier (1895), ‚Dornröschen‘ (1902), das Melodram ‚Die Königskinder‘ (1897), das Krippenspiel ‚Ein Wintermärchen‘ (1906) oder seine Schauspielmusiken sich nur wenige Jahre in den Spielplänen halten konnten. – Der ‚Lieblingsjünger‘ Richard Wagners, der ob seiner kompromißlosen Anhängerschaft die Freundschaft vieler Komponistenkollegen opferte, sei hier in einer Photographie vorgestellt, die ihn im Kreise seiner Familie mit Hund ‚Fasold‘ in Berneck bei Bayreuth im Festspielsommer 1904 zeigt (Stadt- und Universitätsbibliothek Frankfurt am Main).

Leoš Janáček

„Ade, und in meinen Träumen verflossen die Noten mit den blutigen Punkten auf dem Rücken meiner linken Hand ... Seit dieser Zeit weiß ich, daß die Noten Blut schwitzen müssen, wenn sie der Komponist schreibt, und Blut schwitzen, wenn man sie schlecht spielt", so erinnert sich Leoš Janáček an seine ersten Musiklektionen, in denen sein Vater strafend hinter ihm stand. Er wurde am 3. Juli 1854 in Hukvaldy (Hochwald, Nordböhmen) geboren und studierte, nach einem mißglückten Versuch, am Petersburger Konservatorium aufgenommen zu werden, in Leipzig. In seine Heimat nach Brno (Brünn) zurückgekehrt, entfaltete er von 1881 bis 1919 eine bedeutende erzieherische und organisatorische Tätigkeit als Leiter der Orgelschule, die nach der Gründung der tschechoslowakischen Republik 1919 Staatliches Konservatorium wurde. Auf der Suche nach einem persönlichen, expressionistischen Stil entwickelte er eine musikpsychologische wie ästhetische Anschauung, die er in einer ‚Theorie der Sprachmelodie‘ niederlegte. Janáčeks Werk, das nur langsam wuchs, wurde erst nach 1916 weithin bekannt. Er konnte fernab von den musikalischen Zentren bis dahin über Folklorekompositionen und Bearbeitungen mährischer Volksmusik hinaus einen eigenen Stil schaffen, der in der Oper aus dem mährischen Bauernleben *Jenufa* gipfelte, in der er altmährische Weisen mit einer eigentümlichen dramatischen Diktion paarte. Diese findet zudem ihren Niederschlag in seiner Kammermusik. In seiner letzten Oper ‚Aus einem Totenhaus‘ (1928) griff Janáček die ihn tief bewegenden ‚Aufzeichnungen aus einem Totenhaus‘ von Fedor M. Dostojewski auf. „Mir ist, als schritte ich in ihr von Stufe zu Stufe hinab, bis auf den Grund der elendsten Menschen aller Menschheit", schrieb er während der Arbeit an diesem Werk, das er mit dem Motto ‚In jeder Kreatur ein Funken Gottes‘ versah und zu einem Manifest der Humanität werden lassen wollte. Am 12. August 1928 starb er in Mährisch-Ostrau. – Der Brünner Maler-Architekt Eduard Milén, den Janáček mit zahlreichen bühnenbildnerischen Aufgaben betraute, hatte unter anderem die bis heute als mustergebend gültige Bühnengestaltung der Oper ‚Das schlaue Füchslein‘ (1924) geschaffen. Sein mit wenigen Tuschstrichen skizziertes Bildnis von 1924 gehört zu den interpretatorisch den Komponisten treffendsten Porträts (Brno, Moravské Museum, Inv. Nr. 8017, 24 × 16 cm).

Edward Elgar

Die Vita des heute in England sehr gefeierten Komponisten Edward Elgar fällt in die Spätphase des 19. Jahrhunderts und ist eng mit der Regierungszeit Eduards VII. verbunden. Anders als seinen Zeitgenossen Hubert Parry und Charles Villiers Stanford war es ihm als Autodidakten gelungen, das Epigonentum des Viktorianischen Zeitalters hinter sich zu lassen und als Anhänger der neudeutschen Stilmodelle erste englische Sinfonien zu komponieren. Pathos gepaart mit düsterer Abgründigkeit bilden den Grundton seiner zum Repertoire zählenden ‚Enigma-Variationen‘ und *‚Pomp and Circumstance‘.* Diese gelten bis zur Gegenwart als gültiger Ausdruck des britischen Imperiums um die Jahrhundertwende. Edward William Elgar wurde am 2. Juni 1857 zu Broadheath bei Worcester geboren und hatte sich, nachdem ihm der Kontakt zu Londoner Verlegern und Konzertagenturen verschlossen geblieben war, aufs Land nach Malvern zurückgezogen. Dort entstanden Oratorien und Orchesterwerke. Erst um 1900 gelang ihm der durchschlagende Erfolg mit der Aufführung seines Oratoriums *‚The Dream of Gerontius‘,* der ihn zum ersten anerkannten englischen Komponisten seiner Zeit machte. Ihm wurden nationale Ehrungen zuteil: 1904, drei Jahre nach der Thronbesteigung Eduards VII., verlieh man ihm den persönlichen Adel, im selben Jahr veranstaltete man bereits ein mehrtägiges Elgar-Fest, auf dem seine bis dahin vorliegenden Werke aufgeführt wurden, unter ihnen jene singulären ‚Enigma-Variationen‘ op. 36. Dies sind ‚Freundschaftsporträts‘, unter denen sich auch sein eigenes Porträt findet und deren verläßliche Identifikation erst kürzlich gelang. Von einigen Universitäten zum Ehrendoktor ernannt, verfiel Elgar mit fortschreitendem Alter in Melancholie über den frühen Tod seiner Frau, die ihm in den Jahren des Kampfes um Anerkennung zur unentbehrlichen Stütze geworden war. Er starb am 23. Februar 1934 in Worcester. – Elgars strenges, spartanisches Leben ist nahezu lückenlos durch Fotos dokumentierbar. Eine der späten Aufnahmen eines Photographen namens H. Lambert zeigt den Komponisten am Arbeitstisch. 1917 ist die Kreidezeichnung des Malers, Zeichners und Kunstschriftstellers William Rothenstein entstanden, die den gleichen introvertierten Zug erkennen läßt (beides London, National Portrait Gallery, Inv.Nr. P. 107 und 3868).

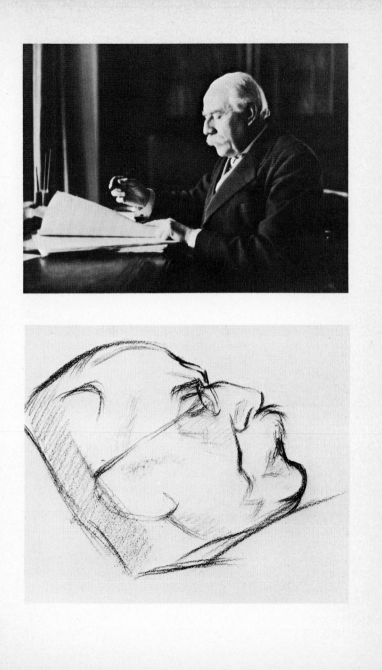

Giacomo Puccini

,,Ich bin nicht geschaffen für heroische Gesten. Ich liebe die kleinen Dinge, und ich kann und will nur die Musik der kleinen Dinge
machen, wenn sie wahr, leidenschaftlich und menschlich sind, zu
Herzen gehen", so schrieb Giacomo Antonio Domenico Michele
Secondo Puccini. Er liebte das glänzende Leben und wollte vor
allem ,,rühren" mit seiner Kunst. Am 22. Dezember 1858 wurde
er in Lucca geboren und sollte als Abkömmling einer Familie, in
der die Kirchenkomposition zur Tradition gehörte, ebenfalls Kir-
chenkomponist werden. Als Achtzehnjähriger wurde er jedoch so
nachhaltig von der Aufführung der Oper ,Aida' von Giuseppe
Verdi gefesselt, daß er seinen Entschluß änderte und den be-
schwerlichen Weg des Opernkomponisten einschlug. Mit einem
Stipendium der Königin Margherita ausgestattet, konnte er das
Konservatorium in Mailand besuchen. Seine erste Oper ,Le Villi'
nach derselben Sage, die Adolphe Adams Ballett ,Giselle' zugrunde
liegt, veranlaßte den Verleger Giulio Ricordi, mit Puccini einen
Vertrag über weitere Opern abzuschließen. Waren diese ersten
Versuche nicht mehr als Talentproben, so hatte er mit ,Manon
Lescaut' (1893), der Vertonung des weltberühmten Liebesromans
des Abbé Antoine-François Prévost, bereits eine Sprache gefunden, die seinen reifen Opern – ,La Bohème' (1896), ,Tosca' (1900),
,Madame Butterfly' (1904), dem Triptychon ,Der Mantel', ,Schwe-
ster Angelica', ,Gianni Schicchi' (1918) sowie ,Turandot' (1926) –
eigen ist. ,La Bohème' wurde zum Prototyp der italienischen Oper
des ausgehenden 19. Jahrhunderts. Lyrisch-sentimental, mit bür-
gerlichem Hintergrund, spielt diese Oper in einem Armenmilieu
von Bohemiens, das Puccini in seinen Studienjahren in Mailand
kennengelernt hatte. In der Erkenntnis, daß seine Opernkunst an
Grenzen stieß, versuchte er sich in seiner unvollendet gebliebenen
letzten Oper ,Turandot' auf exotisch getönte Klänge einzulassen. In
seinem Haus, das er sich in Torre del Lago am Massaciuccoli-See
hatte bauen können, verlebte er seine letzten Wochen, bevor er zu
einer Operation nach Brüssel gebracht wurde, wo er am 29. November 1924 starb. – Dem Bestand von Fotos Puccinis, auf denen
er sich meist in der ,fin-de-siècle-Nonchalance' zeigte, sei hier eine
Künstlerpostkarte entnommen, die zu Lebzeiten in Umlauf kam.
Das Foto ist im Atelier Willinger hergestellt worden (Kassel,
Deutsches Musikgeschichtliches Archiv).

Gustav Mahler

Gustav Mahler, am 7. Juli 1860 in Kalischt (Böhmen) geboren und am 18. Mai 1911 in Wien gestorben, gehört wie Gustav Klimt, Hugo von Hofmannsthal, Karl Kraus, Hugo Wolf oder Siegmund Freud in die Zeit der ,Wiener Sezession' und des Jugendstils, die letzte Phase der k. und k. Ära. Hermann Bahr umriß 1904 die künstlerische Situation in dieser Stadt in seinem Essay ,Fidelio': ,,Dann macht Roller den Tristan oder den Fidelio neu, Mahler dirigiert, die Mildenburg singt. Und ich sage mir dann: Ich könnte doch nirgends leben als in Wien." Mahler, der nach Studien bei Anton Bruckner 1880 seine Dirigentenlaufbahn in Hall (Oberösterreich) begonnen hatte und über Laibach, Olmütz, Kassel, Prag, Leipzig, Budapest und Hamburg 1897 als Kapellmeister, dann als Direktor der Hofoper und Leiter der Philharmonischen Konzerte nach Wien berufen wurde, lebte für die Hingabe an seine Vorstellung vom Gesamtkunstwerk, das er auch außerhalb der Richard Wagnerschen Ansichten zu verwirklichen trachtete. Nach seiner von vielen Kontroversen begleiteten Berufung nach Wien avancierte Mahler in kurzer Zeit zu einer begehrten Persönlichkeit im Wiener Kulturleben. In die Musikgeschichte ist Mahler als markante Persönlichkeit nicht nur seiner organisatorischen wie interpretatorischen Fähigkeiten wegen eingegangen, sondern vor allem als Komponist, dessen Werke zu Lebzeiten geteilt aufgenommen wurden. Mit zehn Sinfonien, dem ,Lied von der Erde' und Orchesterliedern, gab Mahler seinem Innern Ausdruck und schuf Werke, die sich in der Spannung von Intellekt, Gefühl und dem endgültigen Verlust der Naivität bewegen, Werke, deren bisweilen derbe Einfälle, auch Trivialitäten, gepaart mit hymnischen Schlußsätzen, die Zuhörer anfangs brüskierten. Sein Leben, zwischen Reproduktion und eigenem Schaffen pendelnd, hat in den letzten Jahren im Zeichen einer ,Mahler-Renaissance' zu zahlreichen Publikationen Anlaß geboten. – Den bildenden Künsten brachte Mahler wenig Interesse entgegen, selbst nicht, als es 1909 darum ging, ihn mit Auguste Rodin zusammenzubringen, dessen Porträts in Europa als einzigartig geschätzt wurden. In nur sechs Sitzungen entstand die Büste, die unter der denkwürdigen Bezeichnung: ,Mozart' *,Homme du XVIIIᵉ siècle'* und ,Mahler' der Öffentlichkeit präsentiert wurde (München, Bayerische Staatsgemäldesammlungen, Neue Pinakothek, Inv.Nr. B 52, 45 × 15 × 15 cm).

Ignacy Paderewski

Einer der glanzvollsten Virtuosen, der ein überaus luxuriöses Leben führte und sich angewöhnt hatte, mit Leibwächter und Koch zu reisen, war Ignacy Jan Paderewski. Wie vor ihm zahlreiche Musiker war auch er Pole, der am 6. (18.) November 1860 in Kuryłowka im Gouvernement Podolsk geboren worden war. Nach einer Ausbildung am Konservatorium in Warschau vervollkommnete er sein pianistisches Können bei dem bekannten Pädagogen Theodor Leschetitzky in Wien und begann sodann eine glanzvolle Karriere als Konzertpianist, in dessen Programmen sein bekanntestes Werk, ein Menuett in G-Dur aus den sechs Humoresken für Klavier op. 14, als Zugabe nicht fehlen durfte, während er sich hauptsächlich für die Musik Frédéric Chopins einsetzte. Als Komponist hatte er sich ebenso profilieren wollen, jedoch geriet seine einzige Oper ‚Manru‘ nach ihrer Uraufführung 1901 in Dresden und einer kurzzeitigen Übernahme durch das New Yorker Opernhaus in Vergessenheit. Von 1889 an ließ er sich fürstengleich in der Villa Riond-Bosson bei Morges in der Schweiz feiern. In der Phase des Aufbaus eines unabhängigen polnischen Staates unterbrach er seine pianistische Laufbahn und war 1918 bis 1919 polnischer Botschafter in Washington, 1919 bis 1920 Ministerpräsident und Außenminister des neugegründeten Staates. In dieser Funktion hatte er 1919 den Vertrag von Versailles mitunterzeichnet. Von seinem amerikanischen Landsitz in Paso Robles (Kalifornien) aus, den er 1913 erworben hatte, unternahm er neuerlich zahlreiche Reisen und schrieb eine von Richard Wagner beeinflußte, national gefärbte Musik. So griff er Teile polnischer Goralen-Volksmusik (‚Tatra-Album‘) auf, die er bearbeitete. 1940 wurde er Präsident des polnischen Exilparlaments; er starb während einer Amerikareise am 29. Juni 1941 in New York. Unter höchsten militärischen Ehren wurde der Musiker-Staatsmann im Arlington Mausoleum beigesetzt. – Seiner überaus eitlen Lebensart entsprach es, sich mit zahlreichen Porträts zu umgeben. Die umfangreiche bildliche Hinterlassenschaft, zu der auch ein ernstes Konterfei des Schweizer Porträtmalers Charles Giron von 1907 gehört, enthält ein frühes, symbolistisches Konterfei, das der in London wirkende Alma-Tadema Lawrence angefertigt hat. Bis 1950 in Familienbesitz befindlich, zeigt es den Künstler vor einer Engelsgloriole (Muzeum Narodowe w Warszawie, Inv.Nr. 162012, 45,5 × 59 cm).

Hugo Wolf

„Ich bin ein Mensch, der in allem nur nach Impulsen handelt, und wenn sich in mir die gehörige Portion Elektrizität angesammelt hat, dann geschieht etwas …", so schrieb Hugo Philipp Jakob Wolf am 8. Februar 1889 an einen Freund. Er umriß damit die Tragik, ausschließlich von Inspiration abhängig zu sein, die ihn in seinem kurzen Schaffensleben oft verließ und in tiefe Verzweiflung stürzte. Wolf wurde am 13. März 1860 in Windischgraz (Slovenj Gradec, Jugoslawien) geboren und starb am 22. Februar 1903 in geistiger Umnachtung in Wien. Unnachgiebig, egozentrisch und großen Temperamentsschwankungen unterworfen, hat er es seinen Freunden, die sich 1896 in Berlin und 1898 in Wien zu einem Hugo-Wolf-Verein zur Verbreitung seiner Werke zusammengeschlossen haben, nicht leicht gemacht, da er sich überdies in der Zeit, die er als Kritiker wirkte, die gesamte tonangebende Rezensentenwelt in Wien zu Feinden gemacht hatte. Wolfs erklärtes Ziel war es, als Musikdramatiker zu gelten, ein Ruf, der ihm versagt blieb. Wolf hatte sich nach dem Eintritt in das Konservatorium in Wien, das er bald wieder verließ, autodidaktisch gebildet und lebte fortan von Klavierstundenhonoraren, Korrekturarbeiten, Tanzmusik, später den Zuwendungen der Freunde, die ihm auch Wohnung boten. Das Motto, das er seinem Streichquartett in d-Moll vorausschickte: „Entbehren sollst du, sollst entbehren", trägt autobiographische Züge, denn er war sich seiner übersensiblen Art, sich keinem geregelten Leben unterzuordnen, bewußt. In dieser mit aller Tradition brechenden freien Existenz als Einzelgänger war es Wolf möglich, in genialen Liedminiaturen intime Töne anzuschlagen, die in den Vertonungen von Gedichten Gottfried Kellers, Johann Wolfgang von Goethes (Harfenspieler- und Mignongesänge), seinem ‚Spanischen' und ‚Italienischen Liederbuch' gipfeln. – Wolf verabscheute das Zeremoniell, freute sich jedoch über jede Aktivität, die seiner Popularität dienlich war. Der dennoch außerordentlich große Bestand an vor allem posthum hergestellten Bildnissen ist seinen Freunden, etwa Franz Seifert und Edmund Hellmer, zu verdanken. Zu den wenigen authentischen Dokumenten gehört die nebenstehend wiedergegebene Rötelzeichnung, die 1893 von Clementine von Wagner hergestellt worden ist (Marbach a. N., Schiller-Nationalmuseum).

Alexander Glasunow

Als Genie schon früh gefeiert, gehört Alexander Konstantinowitsch Glasunow zu den bedeutendsten russischen Komponisten in der Generation nach Peter Iljitsch Tschaikowski. Er wurde am 29. Juli (10. August) 1865 in Sankt Petersburg geboren und trat bereits als Sechzehnjähriger mit einer Sinfonie an die Öffentlichkeit. Wirtschaftlich unabhängig, konnte er sich ab 1883 nach nur wenigen Lektionen bei seinem väterlichen Freund Nikolai Rimski-Korsakow ausschließlich seinem musikalischen Schaffen widmen, das dem Kreis des ,,Mächtigen Häufleins" zunächst verpflichtet blieb. Unterstützt wurde Glasunow von Mitrofan Belaieff, der einen bedeutenden Verlag in Leipzig gegründet hatte, dessen Grundstein Glasunows Gesamtwerk wurde. Ohne daß er je eine fachspezifische Ausbildung genossen hatte, trat er 1899 als Professor für Partiturspiel und Theorielehre in das Konservatorium von Sankt Petersburg ein, das er unter Protest gegen die Entlassung Rimski-Korsakows als Folge der Revolution 1905 wieder verließ. Erst nach Beilegung des Streits, Ende desselben Jahres, übernahm er die Nachfolge seines Lehrers. Später zum Volkskünstler der Sowjetunion ernannt, genoß Glasunow höchste Ehrungen, war Vorsitzender der Russischen Musikgesellschaft und Ehrendoktor der Universitäten Cambridge und Oxford. Er gehörte zu den wenigen Künstlern, die durch die Oktoberrevolution nicht ihrer Ämter enthoben wurden. Dennoch zog er es vor, seine letzten Lebensjahre in Paris zu verbringen, wo er am 21. März 1936 starb. Von Igor Strawinsky scharf kritisiert, von seinem Schüler Dmitrij Schostakowitsch jedoch als ‚großer Lehrer' tief verehrt, schuf Glasunow Werke, die ähnlichen Formprinzipien folgen wie diejenigen von Brahms, weshalb er in der zeitgenössischen Kritik häufig ein ,,russischer Brahms" genannt wurde. Am bekanntesten sind sein hochvirtuoses Violinkonzert a-Moll op. 82 und seine drei Ballettmusiken, unter denen das abendfüllende Ballett ‚Raymonda' zum Repertoire gehört. – Glasunow ist, seiner zentralen Stellung entsprechend, sowohl von Ilja Repin als auch von Valentin Seroff porträtiert worden. Das hier gezeigte Foto ist um die Jahrhundertwende aufgenommen worden und zeigt Glasunow über einem Notenpapier (Wien, Bildarchiv der Österreichischen Nationalbibliothek).

Erläuterung einiger Fachausdrücke

Belcanto – ital. Bel-Canto, Schöngesang; Bezeichnung für die Gesangstechnik im 18. bis zur Mitte des 19. Jahrhunderts, die gesangliche Linie (cantabile) und den Vokalklang gegenüber der sprachlich orientierten Deklamationstechnik hervorzuheben

Bouffes-Parisiens – franz. Bouffes, Possenreißer; 1855 von J. Offenbach gegründetes kleines Theater an den Champs-Elysées in Paris (vorher Théatre Comte), in dem die Groteskopern (opéras bouffons) Offenbachs zur Aufführung kamen

Buffo-Oper – Komische Oper

Cachucha – Span. Cachucha, kleine Dinge; ein in das 17. Jahrhundert zurückreichender spanischer Tanz; von Fanny Elßler auf die Bühne gebracht, ist dieser von einer einzelnen Tänzerin dargebotene Tanz dem Bolero verwandt

Capriccio – ital. Laune, Eigensinn; im 19. Jahrhundert Bezeichnung für virtuose Etüden, die höchste technische Ansprüche mit kühnen musikalischen Einfällen verbinden

Concertante – Sinfonieform, die an die Stelle des seit 1750 zurückweichenden Concerto grosso trat und dem Prinzip des Gruppenwechsels folgt

Crescendowalze – im 19. Jahrhundert der Orgel angefügtes Schwellwerk zur Ermöglichung eines dynamischen Spiels

Dialogoper – Oper mit gesprochenen Dialogen

Drame sacré – französische Bezeichnung für ein Oratorium

Goralen-Volksmusik – die Musik der polnischen Bewohner der West-Karpaten (Goralen – slav. plur. Bergbewohner)

Grand opéra – Bezeichnung sowohl für den Operntyp der seit F. Auber prunkvoll ausgestatteten ernsten Oper als auch für das Pariser Opernhaus, das 1875 eröffnet wurde

Jalousieschweller – Vorrichtungen an der Orgel zur Ermöglichung dynamischer Schattierungen

Mystère – franz. Geheimnis; hier Mysterienspiel

Opéra bouffon – Groteskoper

Savoy-opéras – nach dem Aufführungsort, dem Savoy-Theater, benannte Operetten

Solfeggien – virtuose Stimmübungen auf Vokale

Vaudeville – mit populären Liedern verschiedener Provenienz durchsetzte leichte Komödie, die sich besonders in Frankreich bis ins 20. Jahrhundert gehalten hat

Zarzuela – spanische Gattung von Bühnenstücken, in denen Gesang mit gesprochenem Dialog abwechselt und in die seit dem späten 19. Jahrhundert die spanische Folklore als grundlegendes Element einbezogen wurde

Bildquellennachweis

Archiv der Gesellschaft der Musikfreunde Wien 121, 131.

Bärenreiter-Bildarchiv, Kassel 149.

Bayerische Staatsbibliothek, München 77, 133, 137.

Bayerische Staatsgemäldesammlungen, München 127.

Bayerische Staatsgemäldesammlungen, Neue Pinakothek 169.

Beethoven-Haus, Sammlung H. C. Bodmer, Bonn 25.

Bibliothèque Nationale, Paris 135, 139, 141, 159.

Bildarchiv der Österreichischen Nationalbibliothek, Wien 21, 23, 29, 87, 145, 147, 157, 175.

Burgenländisches Landesmuseum, Eisenstadt 89.

Deutsche Fotothek, Dresden 53, 143.

Deutsche Staatsbibliothek, Berlin/DDR 85.

Deutsches Musikgeschichtliches Archiv, Kassel 33, 45, 91, 167.

Fototeca Servizio Informazioni, Rom 57.

Galleria Nazionale d'Arte Moderna, Rom 95.

Gemeente Rotterdam 101.

Germanisches Nationalmuseum, Nürnberg 59.

Göteborgs Historiska Museum 117.

Herzog August Bibliothek, Wolfenbüttel 41, 69.

Historisches Museum der Stadt Wien 67, 71.

Kunstsammlungen zu Weimar 115.

Lippische Landesbibliothek, Detmold 73.

Louis Spohr-Gedenk- und Forschungsstätte, Kassel 47.

Metropolitan Museum, New York 97.

Moravské Museum, Brno 163.

Musée des Beaux Arts, Rouen 37.

Musée National du Louvre, Paris 19, 75, 83.

Museen der Stadt Wien 123.

Museo Donizettiano, Bergamo 65.

Museum der bildenden Künste zu Leipzig 27.

Musikwissenschaftliches Institut der Universität, Kiel 125.

Muzeum Narodowe W Warszawic, Warschau 171.

Národni Galerie V Praze, Prag 35.

Nationalhistoriske Museum, Frederiksborg 79.

National Portrait Gallery, London 109, 111, 151, 165.

Nationalmuseum, Stockholm 153.

Oberösterreichisches Landesmuseum, Linz 119.

Peeters, Flor, Mechelen 113.

Alphabetisches Verzeichnis der Musiker mit Hinweisen auf Werkausgaben und die wichtigste Literatur

(Die Seitenverweise in kursiver Schrift beziehen sich auf die Musikerbiographien in diesem Buch)

Daniel François Esprit Auber – C. Malherbe, Auber, Paris 1911 [mit Werkverzeichnis]; W. Börner, Die Opern von Daniel François Esprit Auber, Diss. Leipzig 1962 *S. 40*

Ludwig van Beethoven – Neue Ausgabe sämtlicher Werke, hrsg. von J. Schmidt-Görg u. a., München und Duisburg 1961 ff.; R. Bory, Ludwig van Beethoven, Sein Leben und Werk in Bildern, Zürich 1960; A. Schmoll gen. Eisenwerth, Zur Geschichte des Beethoven-Denkmals, in: Festschrift J. Müller-Blattau, Kassel 1966, S. 242 ff. *S. 24 und 26*

Vincenzo Bellini – H. Weinstock, Vincenzo Bellini: his Life and his Operas, New York 1971; W. Oehlmann, Vincenzo Bellini, Zürich 1974 *S. 68*

Hector Berlioz – New Edition of the Complete Works, hrsg. vom Berlioz Centenary Committee, London und Kassel 1967 ff.; H. Berlioz, Grand traité d'instrumentation et d'orchestration modernes, Paris 1843; H. Berlioz, Mémoires, 2 Bde., Paris 1870, Neuaufl. 1969, deutsche Ausgabe: Memoiren mit der Beschreibung seiner Reisen in Italien, Deutschland, Rußland und England, 1803–1865, Leipzig 1967 *S. 74*

Franz Berwald – Sämtliche Werke, hrsg. von N. Castegren, H. Blomstedt, F. Lindberg, B. Hammar, E. Lomnäs, I. Bengtsson u. a., in: Monumenta musica Svecicae, [o. Nr.], Kassel 1966 ff.; F. Berwald, Die Dokumente seines Lebens, Stockholm [o. J.]; I. Andersson, Franz Berwald, Stockholm 1970 *S. 60*

Georges Bizet – ,Carmen', kritische Neuausgabe, hrsg. von F. Oeser, Kassel 1964; W. Dean, Georges Bizet, his Life and Work, London 1948, 3. Aufl. 1965 *S. 140*

Theobald Böhm – Die Flöte und das Flötenspiel, München 1871, englische Ausgabe: The flute and flute-playing, New York 1960; K. Ventzke und D. Hilkenbach, Boehm-Instrumente, ein Handbuch über Theobald Böhm, Frankfurt a. M. 1982 *S. 58*

François Adrien Boieldieu – Die weiße Dame, Vollständiger Clavier-Auszug, Braunschweig [um 1835]; Der Kalif von Bagdad,

Mainz 1943; G. Fravre, Boieldieu, sa vie, son oeuvre, 2 Bde., Paris 1944 und 1945; K. Huber, François Adrien Boieldieu, Berlin 1975 *S. 36*

Alexander Borodin – S. A. Dianin, Borodin, zhizneopisaniye, materiali i dokumenti, Moskau 1955, englische Ausgabe: Biography, materials and documents, New York 1963 *S. 132*

Johannes Brahms – Sämtliche Werke, hrsg. von der Gesellschaft der Musikfreunde in Wien, 26 Bde., Leipzig 1926–1928; Neue revidierte Ausgabe, Wien 1965 ff.; H. A. Neunzig, Johannes Brahms in Selbstzeugnissen und Bilddokumenten, Hamburg 1973; J. Chisell, Johannes Brahms, London 1977 *S. 130*

Anton Bruckner – Sämtliche Werke, kritische Gesamtausgabe, hrsg. von L. Nowak und F. Grasberger, Wien 1951 ff.; R. Grasberger, Werkverzeichnis Anton Bruckner, Tutzing 1977; H. Schöny, Anton Bruckner im zeitgenössischen Bildnis, Wien 1968 *S. 118*

Hans von Bülow – Briefe und Schriften, hrsg. von M. von Bülow, 8 Bde., Leipzig 1896–1908 *S. 126*

Luigi Cherubini – Cours de contrepoint et de fugue, Paris 1835, deutsche Ausgabe: Theorie des contrapunktes und der fuge, Leipzig 1835; A. Bottée de Toulmon, Notice des manuscrits autographes de la musique composée par feu M. L.-C.-Z.-S. Chérubini, Paris 1843, englische Ausgabe: London 1967; R. H. Hohenemser, Luigi Cherubini, sein Leben und seine Werke, Leipzig 1913, Neudruck Wien 1969; B. Deane, Cherubini, London 1965 *S. 18*

Frédéric Chopin – Kritische Gesamtausgabe seiner Werke, hrsg. von W. Bargiel, J. Brahms, A. J. Franchomme, F. Liszt, C. Reinekke, E. Rudorff, Leipzig 1878–1896; M. J. E. Brown, Chopin, an Index of his works in chronological order, London 1960, 2. Aufl. 1972; K. Kobylańska, Chopin w kraju: dokumenty i pamiątki, Krakau 1955, deutsche Ausgabe: F. Chopin, sein Leben in Bildern, Leipzig 1960, 2. Aufl. 1963; C. Bourniquel, Chopin, Paris 1957, deutsche Ausgabe: F. Chopin in Selbstzeugnissen und Bilddokumenten, Reinbeck 1975 *S. 82*

Peter Cornelius – Musikalische Werke, 5 Bde., Leipzig 1905–1906, Neudruck 1971; P. Cornelius, Literarische Werke, 4 Bde., Leipzig 1904–1905 *S. 114*

Carl Czerny – Über den richtigen Vortrag der sämtlichen Beethoven'schen Klavierwerke, hrsg. und kommentiert von P. Badura-Skoda, Wien 1963 *S. 52*

Léo Delibes – A. Coquis, Léo Delibes, sa vie et son oeuvre (1836–1891), Paris 1957 *S. 138*

Gaetano Donizetti – R. Steiner-Isenmann, Gaetano Donizetti, Bern 1982; Journal of the Donizetti Society, 1974 ff. *S. 64*

Antonin Dvořák – Souborné vydáni, hrsg. v. O. Šourek u. a., Prag 1955 ff.; K. Honolka, Antonin Dvořák in Selbstzeugnissen und Bilddokumenten, Reinbeck 1974 *S. 146*

Edward Elgar – Windquintett music, 7 Bde., Croydon 1976–1977; J. N. Moore, Elgar – a Life in Photographs, London 1972; P. Young, Elgar O. M., a study of a musician, London 1955, 2. Aufl. 1973 *S. 164*

Joseph Elsner – J. Hermann, Joseph Elsner und die polnische Musik, München 1969; A. Nowak-Romaniwicz, Józef Elsner, monografia, Krakau 1957 *S. 22*

Fanny Elßler – R. Raab, Fanny Elßler, Eine Weltfaszination, Wien 1962 [mit Ikonographie]; I. F. Guest, Fanny Elssler, London 1970 *S. 88*

Franz Erkel – E. Major, Erkel Ferenc müveinek jegyzéke, Budapest 1947, Neuauflage 1967 [Werkverzeichnis] *S. 86*

John Field – Klavier-Konzerte Nr. 1–3, in: Musica Britannica XVII, London 1961; P. Piggott, The life and music of John Field 1782–1837, London 1973 *S. 42*

César Franck – Le Chasseur maudit, hrsg. von A. Coeuroy, London 1973; L. Davies, César Franck and his circle, London 1970, Nachdruck New York 1977 *S. 112*

Niels Gade – Orgelkompositioner, hrsg. von S. Lindholm, Kopenhagen 1969; D. Gade, Niels W. Gade, optegnelser og breve, Kopenhagen 1892, deutsche Ausgabe: Aufzeichnungen und Briefe, Basel 1894, 2. Auflage 1912 [mit Werkverzeichnis] *S. 102*

Alexander Glasunow – Oeuvres d'orgue, Bonn 1960; H. Günther, Alexander Glasunow zum 100. Geburtstag, Bonn 1965 *S. 174*

Michail Glinka – Aufzeichnungen aus meinem Leben, hrsg. von H. A. Brockhaus, Berlin 1961, 2. Aufl. Wilhelmshaven 1969; D. Brown, Michail Glinka, A Biographical and Critical Study, London 1974 *S. 76*

Charles Gounod – Autobiographie de Charles Gounod et articles sur la routine en matière d'art, édits et compilés, avec une préface, par Mme Georgina Weldon, London 1875 *S. 104*

Edvard Grieg – Gesamtausgabe, hrsg. von F. Benestad, 20 Bde., Frankfurt a. M. und Oslo 1977 ff.; F. Benestad und D. Schjelderup-Ebbe, Edvard Grieg, Oslo 1980 *S. 152*

Adalbert Gyrowetz – E. Doernberg, Adalbert Gyrowetz, in: Music an Letters XLIV, 1963, S. 21 ff. *S. 20*

Eduard Hanslick – Vom Musikalisch-Schönen, ein Beitrag zur Revision der Ästhetik der Tonkunst, Leipzig 1854, Neudruck 1965; ders., Die moderne Oper, 9 Bde., Berlin 1875–1900, 3. Aufl. Berlin 1911 *S. 120*

Johann Peter Emil Hartmann – R. Rove, Johann Peter Emil Hartmann, Kopenhagen 1934 [mit Werkverzeichnis] *S. 78*

Adolf Hesse – Louis Spohr und Adolf Hesse, Briefwechsel aus den Jahren 1829–1859, hrsg. von J. Kahn, Regensburg 1928; H. J. Seyfried, Adolph Friedrich Hesse als Orgelvirtuose und Orgelkomponist, Regensburg 1965 *S. 84*

Ernst Theodor Amadeus Hoffmann – Sämtliche Werke, Nach dem Text der Erstdrucke, hrsg. von W. Müller-Seidel und F. Schnapp, 5 Bde., München 1960–1965; E. T. A. Hoffmann, Musikalische Werke, hrsg. von G. Becking, Leipzig 1922–1927; G. Allroggen, Die Opern – Ästhetik E. T. A. Hoffmanns, Regensburg 1969; E. Telsnig–Langer, E. T. A. Hoffmann als Zeichner und Maler, Graz 1980; G. Allroggen, E. T. A. Hoffmanns Kompositionen, Regensburg 1970 *S. 38*

Engelbert Humperdinck – Briefe und Tagebücher I–II, hrsg. von H.-J. Irmen, Köln 1975 und 1976 *S. 160*

Vincent d'Indy – R. R. Guenther, Vincent d'Indy, 3 Bde., Diss. Rochester University New York 1948; N. Demuth, Vincent d'Indy, Champion of Classicism, London 1951, Nachdruck Westport, Conn., 1974 *S. 158*

Leoš Janáček – Souborné kritické vydáni, hrsg. von J. Vysloužil u. a., Prag 1978 ff.; Korrespondence L. Janáčeka, Janáček-Archiv I–IX, Brünn 1934–1953; J. Racek, Leos Janáček, obraz života a dila, Brünn 1948; L. Janáček, Musik des Lebens, Leipzig 1979; H. Hollander, Leoš Janáček; Leben und Werk, Zürich 1964 *S. 162*

Josef Joachim – Johannes Brahms im Briefwechsel mit Josef Joachim, 2 Bde., Berlin 1908, Nachdruck Tutzing 1974; Violinschule, 3 Bde., Berlin 1902–1905, Neuausgabe Hamburg 1959 *S. 128*

Joseph Lanner – Gesamtausgabe, bearb. von E. Kremser, 14 Bde.,

Wien 1888–1889; F. Lange, Joseph Lanner und Johann Strauß, Wien 1904, 2. Aufl. 1919 *S. 70*

Nationalsängergruppe Leo – W. Salmen, Tyrolese favorite Songs des 19. Jahrhunderts in der Neuen Welt, in: Festschrift für Karl Horak, Innsbruck 1980, S. 69 ff. *S. 98*

Jenny Lind – J. M. C. Goldschmidt-Maude, The Life of Jenny Lind, London 1926, Neudruck New York 1978 *S. 108*

Franz Liszt – Musikalische Werke, hrsg. von F. Busoni, P. Raabe u. a., 34 Bde., Leipzig 1907–1936, Nachdruck 1966; Neue Ausgabe sämtlicher Werke, hrsg. von Z. Gárdonyi, I. Sulyok und I. Szelényi, Kassel und Budapest 1970 ff.; Gesammelte Schriften, hrsg. von L. Ramann, 6 Bde., Leipzig 1880–1883, Nachdruck Hildesheim 1978 *S. 92*

Carl Loewe – Gesamtausgabe der Balladen, Legenden, Lieder und Gesänge für eine Singstimme, hrsg. von M. Runze, 17 Bde., Leipzig 1899–1904, Nachdruck Farnborough 1970; C. Loewe, Selbstbiographie, hrsg. von C. H. Bitter, Berlin 1870, Nachdruck Hildesheim 1976 *S. 62*

Albert Lortzing – Gesammelte Briefe, hrsg. von G. R. Kruse, Regensburg 1913; H. C. Worbs, Albert Lortzing in Selbstzeugnissen und Bilddokumenten, Reinbeck 1980 *S. 72*

Gustav Mahler – Sämtliche Werke: Kritische Gesamtausgabe, hrsg. von der Internationalen Gustav Mahler Gesellschaft, Wien 1960 ff.; K. Blaukopf (Hrsg.), Mahler, sein Leben, sein Werk und seine Welt in zeitgenössischen Bildern und Texten, Wien 1976; A. Mahler, Gustav Mahler, Erinnerungen und Briefe, Amsterdam 1940, 3. erweiterte Aufl. 1975 *S. 168*

Felix Mendelssohn Bartholdy – Werke: kritisch durchgesehene Ausgabe, hrsg. von J. Rietz, 19 Bde., Leipzig 1874–1877, Nachdruck Farnborough 19 Bde. 1967–1968, Neuausgabe 23 Bde., 1969; P. Ranft, Felix Mendelssohn Bartholdy, eine Lebenschronik, Leipzig 1972 [mit ikonographischem Anhang]; H. J. Rothe und R. Szeskus (Hrsg.), Felix Mendelssohn Bartholdy, Briefe aus Leipziger Archiven, Leipzig 1972 G. Schumacher, Felix Mendelssohn Bartholdy, Darmstadt 1982 *S. 80*

Giacomo Meyerbeer – Briefwechsel und Tagebücher, hrsg. von H. Becker, Berlin 1960 ff.; H. Becker, Meyerbeer: Bild-Monographie, Hamburg 1980 *S. 54*

Modest Mussorgskij – Polnoye sobraniye sochineniy, hrsg. von P. Lamm, in Zusammenarbeit mit B. V. Asaf'ev, Moskau

1918–1939; A. N. Rimsky-Korsakov und M. P. Musorgskij (Hrsg.), Pis'ma i dokumentî, Moskau und Leningrad 1932 [Briefe und Dokumente]; H. C. Worbs, Mussorgski in Selbstzeugnissen und Bilddokumenten, Reinbeck 1976 *S. 142*

Hans Georg Nägeli – Männerchöre, hrsg. von P. Müller – Zürich, 7 Hefte, Zürich 1936; Die Individual-Bildung, sieben Aufsätze über Sologesangsbildung, Zürich 1978; H. J. Schattner, Volksbildung durch Musikerziehung, Leben und Wirken H. G. Nägelis, Diss. Saarbrücken 1960 *S. 30*

Jacques Offenbach – A. de Almeida, Thematic Catalogue [in Vorbereitung]; J. Offenbach, Offenbach en Amérique, Notes d'un musicien en voyage, Paris 1877, deutsche Ausgabe: Offenbach in Amerika. Reisenotizen eines Musikers, Berlin 1957; P. W. Jacob, J. Offenbach in Selbstzeugnissen und Bilddokumenten, Reinbeck 1969 *S. 106*

Jan Paderewski – I. J. Paderewski und M. Lawton, The Paderewski Memoirs, London 1939 *S. 170*

Niccolò Paganini – Ausgewählte Kompositionen, hrsg. von G. Kinsky und F. Rothschild, Wien 1922; 24 Capricen für Violine allein, Leipzig 1924; W. G. Armando, Paganini, eine Biographie, Hamburg 1960 *S. 44*

Felipe Pedrell – Hispaniae schola musica sacra, 8 Bde., Barcelona 1894–1898, Nachdruck New York 1970; F. Bonastre, Felipe Pedrell, Acotaciones a una idea, Tarragona 1977 *S. 148*

Giacomo Puccini – C. A. Hopkinson, Bibliography of the Works of Giacomo Puccini, 1858–1924, New York 1968; G. Adami, Giacomo Puccini: Epistolario, Mailand 1928, deutsche Ausgabe: Puccini, ein Musikerleben mit 240 eigenen Briefen, Berlin 1939; M. Carner, Puccini, a critical biography, London 1958, 2. Aufl. 1974 L. Marchetti, Puccini nelle immagini, Mailand 1968 *S. 166*

Anton Reicha – Traité de mélodie, Paris 1814, Cours de composition musicale, Paris 1818; Traité de haute composition musicale, 2 Bde., Paris 1824 und 1826; deutsche Ausgabe: Vollständiges Lehrbuch der musikalischen Komposition, 4 Bde., Wien 1832 J. G. Prod'Homme, From the unpublished Autobiography of Anton Reicha, in: Musical Quarterly XXII, 1936, S. 339ff.; O. Šotolová, Antonin Rejcha, Prag 1977 [mit thematischem Verzeichnis seiner Werke] *S. 28*

Hugo Riemann – Grundriß der Musikwissenschaft, Leipzig 1908, 4. Aufl. 1928; Musiklexikon, Leipzig 1882; H. C. Wolff, Hugo

Riemann, der Begründer der systematischen Musikbetrachtung, in: Festschrift Max Schneider, Leipzig 1955, S. 265 ff.; P. Rummenhöller, Musiktheoretisches Denken im 19. Jahrhundert, Regensburg 1967 S. *156*

Nikolai Rimsky-Korsakov – Polnoye sobraniye sochineniy, hrsg. von A. Rimsky-Korsakov u. a., Moskau 1950–1970 [Gesamtausgabe seiner Werke]; G. Abraham, Rimsky-Korsakov, a short Biography, London 1945; N.A. Rimsky-Korsakov, Letopis moyey muzïkal'noy zhizni, Petersburg 1909, deutsche Ausgabe: Chronik meines musikalischen Lebens, Stuttgart 1928 S. *154*

Gioacchino Rossini – Gesamtausgabe, hrsg. von P. Gossett, Pesaro 1979 ff.; Quaderni Rossiniani Fondazione Rossini, Pesaro 1954 ff.; G. Radiciotti, Gioacchino Rossini, 3 Bde., Tivoli 1927–1929 S. *56*

Anton Rubinstein – Avtobiografichetskiye vospominaniya (1828–1889), Sankt Petersburg 1889, englische Ausgabe: Autobiography of Anton Rubinstein, 1829–1889, Sankt Petersburg 1890, Nachdruck 1969; L. Barenboim, Anton Grigor'yevich Rubinshteyn, Leningrad 1954 S. *124*

Camille Saint-Saëns – Catalogue général et thématique des oeuvres de Saint-Saëns, hrsg. von Durand & Cie, Paris 1897, revidierte Ausgabe 1908; J. Harding, Saint Saëns and his circle, London 1965 S. *134*

Franz Schubert – Neue Ausgabe sämtlicher Werke, hrsg. von W. Dürr, A. Feil, C. Landon u. a., Kassel 1967 ff.; O. E. Deutsch, Franz Schubert, Die Dokumente seines Lebens und Schaffens, III: Sein Leben in Bildern, München 1913, Nachdruck 1977; O. E. Deutsch, Die historischen Bildnisse Franz Schuberts in getreuen Nachbildungen, Wien 1922 S. *66*

Robert Schumann – Werke, hrsg. von C. Schumann, J. Brahms u. a., 31 Bde., Leipzig 1879–1893; R. Schumann, Gesammelte Schriften über Musik und Musiker, Leipzig 1854, Nachdruck 1968; G. Eismann, Robert Schumann, eine Biographie in Wort und Bild, Leipzig 1956; A. Edler, R. Schumann und seine Zeit, Laaber 1982 S. *90*

Friedrich Silcher – Ausgewählte Werke, hrsg. von H. J. Dahmen, 10 Hefte, Kassel 1960; A. Bopp, Friedrich Silcher, Stuttgart 1916 S. *50*

Friedrich Smetana – Souborná díla Bedřicha Smetany, 18 Bde., Prag 1924, 1932 und 1936 [Gesammelte Werke]; Klavírní dílo Bedřicha Smetany, 3 Bde., Prag 1944–1973 [Klavierwerke]; J. Clapham, Smetana, London 1972 *S. 116*

Louis Spohr – Ausgewählte Werke, Kassel 1954 ff.; L. Spohr, Selbstbiographie, 2 Bde., Kassel und Göttingen 1860 und 1861, Nachdruck Hildesheim 1969 *S. 46*

Gasparo Spontini – Documenti Spontiniani inediti, hrsg. von A. Belardinelli, 2 Bde., Florenz 1955; P. Fragapane, Spontini, Bologna 1954 *S. 32*

Johann Strauß – Gesamtausgabe, hrsg. von der Johann-Strauß-Gesellschaft, Wien, unter Leitung von F. Racek, Wien 1967 ff.; F. Racek, Johann Strauß zum 150. Geburtstag, Ausstellung der Wiener Stadtbibliothek 1975, Wien 1975 *S. 122*

Arthur Sullivan – R. Mander und J. Mitchenson, A picture history of Gilbert and Sullivan, London 1962; L. Ayre, The Gilbert & Sullivan Companion, London 1972 *S. 150*

Václav Jan Tomášek – Klavier-Sonaten; Sammlungen mit Klavierstücken (Eklogen, Rhapsodien und Dithyramben), Prag 1926 ff.; Goethe-Lieder, Prag 1943; M. Postler, Václav Jan Tomášek, bibliografie, Prag 1960; Vlastniživotopis V. T. Tomášeka, in Prager Jahrbuch ‚Libussa', 1841 [Autobiographie]; W. Kahl, Das lyrische Klavierstück Schuberts und seiner Vorgänger seit 1810, Diss. Bonn 1821 *S. 34*

Peter Tschaikowski Polnoye sobraniye sochineniy, 70 Bde., Moskau und Leningrad 1946–1971 [Gesamtausgabe]; E. Helm, P. I. Tschaikowsky in Selbstzeugnissen und Bilddokumenten, Reinbek 1976; D. Brown, Tchaikovsky, a biographical and critical study, London 1978 *S. 144*

Giuseppe Verdi – H. Busch, Giuseppe Verdi, Briefe, Frankfurt 1979; R. Petzoldt, Giuseppe Verdi 1813–1901, sein Leben in Bildern, Leipzig 1961 *S. 94*

Johannes Verhulst – J. C. M. van Riemsdijk, J. J. H. Verhulst, Haarlem 1886 [mit Werkverzeichnis] *S. 100*

Henri Vieuxtemps – M. Kufferath, Henry Vieuxtemps, Brüssel 1882 [mit Autobiographie] *S. 110*

Richard Wagner – Sämtliche Werke, hrsg. von C. Dahlhaus, Mainz 1970 ff.; R. Wagner, Gesammelte Schriften und Dichtungen, 9 Bde., Leipzig 1871–1873, Nachdruck 1976; M. Geck, Die Bildnisse Richard Wagners, München 1970 *S. 96*

Carl Maria von Weber – Musikalische Werke, erste kritische Gesamtausgabe, hrsg. von H. J. Moser u. a., Augsburg 1926 ff.;

G. Kaiser (Hrsg.), Sämtliche Schriften von Carl Maria von Weber, Berlin und Leipzig 1908; M. M. von Weber, Carl Maria von Weber, ein Lebensbild, 3 Bde., Leipzig 1864–1966 *S. 48*

Henryk Wieniawski – Oeuvres, hrsg. von J. Dubiska und E. Umińska, Krakau 1962ff.; J. Reiss, Henryk Wieniawski, Warschau 1931, 2. Aufl. 1970 *S. 136*

Hugo Wolf – Kritische Gesamtausgabe, hrsg. von H. Jancik u. a., Wien 1960ff.; A. von Ehrmann, Hugo Wolf, sein Leben in Bildern, Leipzig 1937; H. Wolf, Briefe an Melanie Köchert, hrsg. von F. Grasberger, Tutzing 1964 *S. 172*

Carl Friedrich Zelter – 50 Lieder für eine Singstimme, hrsg. von L. Landshoff, Mainz 1932; Briefwechsel zwischen Goethe und Zelter in den Jahren 1796–1832, 6 Bde., hrsg. von F. W. Riemer, Berlin 1833 und 1834; Selbstdarstellung, Ausgew. und hrsg. von W. Reich, Zürich 1955 *S. 16*

Buchanzeigen

Bücher von Karl Geiringer zur Musik

Instrumente in der Musik des Abendlandes

1982. 265 Seiten mit 20 Textabbildungen und
89 Tafelabbildungen. Leinen
(Beck'sche Sonderausgaben)

»Die Musikinstrumente ... werden in die Epochen der Musikgeschichte eingeordnet und den jeweils herrschenden musikalischen Formen uud Entwicklungen zugeordnet. Dadurch werden die Wechsel-
wirkungen zwischen der musikalischen Stilentwicklung und dem
Formenkanon einerseits und dem Instrumentenbau und dem sich
wandelnden Klangideal andererseits deutlich ... Obwohl Geiringer
in solchen übergeordneten Zusammenhängen denkt, ist sein Buch ein
pragmatisch knapper, faktenreicher Leitfaden, der über die Steinzeit
genau so kundig informiert wie über Synthesizer und Computer als
›Komponiermaschinen‹.«   *Frankfurter Allgemeine Zeitung*

Johann Sebastian Bach

Unter Mitarbeit von Irene Geiringer
2., überarbeitete Auflage. 1978. XIII, 377 Seiten mit 5 Abbildungen
auf Tafeln sowie 7 Abbildungen und 71 Notenbeispielen im Text.
Leinen (Beck'sche Sonderausgaben)

»... läßt sich sagen, daß das Werk von Karl Geiringer die Ansprüche
erfüllt, die ein großer Leserkreis heute an ein Buch über Bach stellen
wird: es vermittelt, auf Grund der gegenwärtigen Forschungsergeb-
nisse, ein klares Wissen über den Meister und sein Werk und gibt
uns auch ein Bild von der musikalischen Welt seiner Zeit«.

Du, Zürich

Die Musikerfamilie Bach

Musiktradition in sieben Generationen. Unter Mitarbeit von
Irene Geiringer. 2., überarbeitete Auflage. 1977. XV, 397 Seiten mit
24 Tafelabbildungen und 94 Notenbeispielen im Text. Leinen
(Beck'sche Sonderausgaben)

Dieser Band verbindet »eine einzigartige Leistung der Konzentration
auf Wesentliches mit sympathischer Lesbarkeit«.   *Die Tat, Zürich*

Verlag C. H. Beck München

Beck'sche Schwarze Reihe

Die zuletzt erschienenen Bände (Stand Herbst 1983)